Uni-Taschenbücher 884

UTB
FÜR WISSEN
SCHAFT

Eine Arbeitsgemeinschaft der Verlage

Wilhelm Fink Verlag München
Gustav Fischer Verlag Jena und Stuttgart
Francke Verlag Tübingen und Basel
Paul Haupt Verlag Bern · Stuttgart · Wien
Hüthig Verlagsgemeinschaft
Decker & Müller GmbH Heidelberg
Leske Verlag + Budrich GmbH Opladen
J. C. B. Mohr (Paul Siebeck) Tübingen
Quelle & Meyer Heidelberg · Wiesbaden
Ernst Reinhardt Verlag München und Basel
Schäffer-Poeschel Verlag · Stuttgart
Ferdinand Schöningh Verlag Paderborn · München · Wien · Zürich
Eugen Ulmer Verlag Stuttgart
Vandenhoeck & Ruprecht in Göttingen und Zürich

Eugen Buß · Ulrike Fink · Martina Schöps

Kompendium für das wissenschaftliche Arbeiten in der Soziologie

4., überarbeitete Auflage

Quelle & Meyer Heidelberg · Wiesbaden

Die Deutsche Bibliothek – CIP-Einheitsaufnahme

Buss, Eugen:
Kompendium für das wissenschaftliche Arbeiten in der
Soziologie / Eugen Buss ; Ulrike Fink ; Martina Schöps. – 4.,
überarb. Aufl. – Heidelberg ; Wiesbaden : Quelle und Meyer,
1994
   (UTB für Wissenschaft : Uni-Taschenbücher ; 884)
   ISBN 3-494-02204-6 (Quelle und Meyer)
   ISBN 3-8252-0884-2 (UTB)
NE: Fink, Ulrike:; Schöps, Martina:; UTB für Wissenschaft / Uni-
   Taschenbücher

4., überarbeitete Auflage 1994

Gesamtherstellung: Allgäuer Zeitungsverlag GmbH, Kempten
Printed in Germany / Imprimé en Allemagne

ISBN 3-8252-0884-2 (UTB-Bestellnummer)

Inhaltsverzeichnis

Vorwort 9

Anleitung zum wissenschaftlichen Arbeiten in der Soziologie 12

I   Soziologie als Wissenschaft 15

1. Begriffsklärung und Wissenschaftsverfahren 15
2. Empirische Sozialforschung und soziologische Theorie . . 17
3. Methodische Verfahren in der Soziologie 19
4. Theorieformen 24
5. Hauptströmungen der gegenwärtigen soziologischen Theorie 25
6. Stufen des Forschungsprozesses in der Soziologie 28
7. Genese von Forschungsfragen 31
8. Funktionen der Soziologie 32
9. Gegenstandsbereiche der Soziologie 34
   a) Allgemeine Soziologie und spezielle Soziologien . . . 34
   b) Makrosoziologie und Mikrosoziologie 35

II   Allgemeine Organisation der wissenschaftlichen Arbeit 38

1. Die Studienplanung 38
   a) Formale Studienaspekte 38
   b) Inhaltliche Orientierung im Fach 39
   c) Arbeitsplanung 41
2. Mitarbeit in universitären Veranstaltungen 43
   a) Vorlesung 43
   b) Seminar 46
   c) Übung 48
   d) Tutorium 49
   e) Kolloquium 49
3. Die Gruppenarbeit 50
   a) Vorzüge der Gruppenarbeit 50
   b) Gruppenstärke 51
   c) Arbeitstechnik in der Gruppe 51
   d) Probleme der Gruppenarbeit 54
4. Worauf sollte man achten, wenn man ein Buch liest? . . 55
5. Lesetechniken 57
   a) Kursorisches oder diagonales Lesen 58
   b) Studierendes Lesen 58
   c) Dynamisches Lesen 60

6. Technische Materialauswertung 60
   a) Ordnung des schriftlichen Materials 61
   b) Registrieren und Katalogisieren der Unterlagen 62
   c) Die inhaltliche Erschließung 66

III Wie findet man soziologische Literatur? 71

1. Arten von Literatur 71
2. Aufbau und Benutzbarkeit von Bibliographien 74
3. Quellen soziologischen Materials 78
   a) Nicht-wissenschaftliches Schrifttum 78
   b) Erhebungsmaterial, empirisches Material 79
  *c) Nachweise laufender Forschung 81
4. Fundorte soziologischer Literatur − Bibliotheken
   und Büchereien 82
5. Das System wissenschaftlicher Bibliotheken 86
   a) Bibliotheksstruktur 86
   b) Benutzungsstellen wissenschaftlicher Bibliotheken . . . 87
6. Praktisches Vorgehen bei der Literatursuche 95
   a) Veröffentlichungen eines Autors 95
   b) Veröffentlichungen über einen Autor 97
   c) Biographische Angaben zu Autoren 97
   d) Veröffentlichungen zu einem Einzelthema 98
   e) Empirisches Material 99
7. Auskunfts- und Hilfsmittel in der Soziologie 100
   a) Nachschlagewerke 100
   b) Personennachweise 103
   c) Forschungsberichte 104
   d) Bibliographien 105
   e) Nachweise von Institutionen 110
   f) Abkürzungsverzeichnisse 110
8. Literatursuche über elektronische Datenbanken 111

**IV Die schriftliche wissenschaftliche Arbeit in der
Soziologie** 114

1. Arten von schriftlichen Arbeiten 115
2. Stufenplan einer schriftlichen wissenschaftlichen Arbeit . . 118
3. Aufbau einer schriftlichen Arbeit 123
   a) Gestaltung des Titelblatts 123
   b) Vorbemerkung, Vorwort 124
   c) Inhaltsverzeichnis 126
   d) Abbildungsverzeichnis 127
   e) Tabellenverzeichnis 127
   f) Abkürzungsverzeichnis 128

g) Einleitung 129
h) Hauptteil 130
i) Schluß 130
j) Anhang 131
k) Literaturverzeichnis/Bibliographie 131
l) Quellenverzeichnis 137
4. Gestaltung einer wissenschaftlichen Arbeit 138
   a) Einige Bemerkungen zum *Schreiben* 138
   b) Manuskriptgestaltung 139
   c) Gliederungstechnik 142
   d) Tabellen und Abbildungen 145
   e) Anmerkungstechnik: Die Fußnoten 147
   f) Verwendung von Abkürzungen 148
5. Zitiertechnik 150
   a) Allgemeine Zitierregeln 150
   b) Zitierweisen 153
6. Einige Bemerkungen zur EDV 157

V Rhetorik und Vortragsform 160

1. Grundsätze der freien Rede 161
2. Manuskriptabhängiges Referat 164
3. Der freie wissenschaftliche Vortrag 166
4. Die Stufen des wissenschaftlichen Vortrags 168
   a) Vorbereitung 168
   b) Vortragsbeginn 170
   c) Durchführung des Vortrags 171
5. Rhetorische Darstellungsmittel 171
6. Rhetorische Technik 172
7. Der Fünfsatz – ein Gliederungs- und Ordnungsschema . . 174

VI Leseliste für das Studium der Soziologie 181

1. Allgemeine Einführungen und Lehrbücher 181
2. Analysen der Sozialstruktur der Bundesrepublik Deutschland 183
3. Methoden und Techniken der empirischen Sozialforschung 184
4. Soziologische Theorie 185
5. Geschichte der Soziologie 187

VII Verzeichnis der Zeitschriften in der Soziologie 189

Anhang: Verzeichnis gebräuchlicher Abkürzungen 196

Register 200

Vorwort

Zwei junge Wissenschaftler, Martina Schöps und Eugen Buß, haben aus ihren Erfahrungen die Konsequenz gezogen und diese Anleitung für das wissenschaftliche Arbeiten in der Soziologie geschrieben. Die Erfahrungen, die ich als Anstoß bei ihnen vermute, dürften Unsicherheiten in der eigenen Studienzeit und später ein gewisses Ungenügen an studentischen Arbeiten gewesen sein, die sie als Assistenten bzw. Lehrbeauftragte zu betreuen hatten. Es gibt wohl kaum eine Studentin und kaum einen Studenten der Soziologie, die nicht irgendwann einmal ratlos vor den Aufgaben des Studiums stehen und Hilfe vermissen – auch in höheren Semestern.

Das Kompendium kann hier gute Dienste leisten. Es ist nützlich für den Studienanfänger, den es rechtzeitig auf praktische Erfordernisse aufmerksam macht, und nützlich noch für den Examenskandidaten, weil es Ratschläge für die Abfassung größerer Schriften und generell für die Aneignung von Wissensstoffen enthält. Anfänger ist man in der Soziologie meist ziemlich lange. Vielleicht trägt dieser Leitfaden durch die Labyrinthe der Universität und der Soziologie in dem einen oder anderen Fall dazu bei, die aufhaltsame Anfängerphase abzukürzen.

Die Anleitung soll zwar das wissenschaftliche Arbeiten erleichtern, setzt aber zugleich beim Studierenden die Bereitschaft zur Anstrengung voraus. Man sollte das Kompendium nicht mißverstehen und auf mühelose Arbeit hoffen. Nicht Mühelosigkeit, sondern größerer Ertrag der Mühen ist beabsichtigt, wobei zum Ertrag auch gehört, daß Ängste, die aus der Unkenntnis von Formalien erwachsen, geringer werden.

Im ganzen verstehe ich das Buch als Chance für Studierende, sich von der Fremdheit und Unübersichtlichkeit der Hochschule nicht überwältigen zu lassen, sondern die Herausforderung anzunehmen und sich mit dem schriftlichen Ratgeber selbst in die Institution einzufädeln. Wenn Studienberater, ältere Semester und Hochschullehrer ebenfalls dabei helfen, um so besser – sie sind ohnehin unersetzlich. Das Kompendium vertieft, ergänzt und wiederholt ihre Ratschläge. Darüber hinaus kann es vor allem den Anfänger dazu bringen, überhaupt erst die Fragen zu finden, die er den Beratern stellen muß, um nicht zu viele Irrwege zu gehen. Es wird ihm helfen, sein Studium zu planen, statt sich lediglich verplanen zu lassen.

Siegen, Februar 1979   Helge Pross

Vorwort zu dieser Auflage

In vielerlei Hinsicht hat dieses Kompendium für das wissenschaftliche Arbeiten in der Soziologie schon mancher Studentin und manchem Studenten genutzt, sich in und mit der Soziologie zurechtzufinden: sei es als Einstiegslektüre in das noch unvertraute Wissenschaftsgebiet Soziologie oder später als Nachschlagewerk zur Abfassung einer Abschlußarbeit.

Das Kompendium wurde von Martina Schöps und Eugen Buß als praktischer Führer und als Anleitung für das wissenschaftliche Arbeiten in der Soziologie konzipiert, und das soll es auch mit der vorliegenden überarbeiteten Auflage weiterhin bleiben.

Diese neue Ausgabe erscheint 14 Jahre nach der ersten, mehrfach nachgedruckten Auflage und greift – ohne dem bisherigen Tenor des Werkes entgegenzuwirken – Veränderungen und Neuerungen auf, deren Kenntnis für die fachliche Orientierung in der Soziologie unabdingbar sind. Gemeint sind damit vor allem die Veränderungen für eine planvolle Literaturrecherche, die sich aus der Wiedervereinigung der beiden deutschen Staaten ergeben haben, als Bibliotheken neugegründet, wiedergegründet bzw. aufgeteilt wurden. Auch werden Neuerungen hinsichtlich der zunehmend verbreiteten elektronischen Literatur- und Informationserfassung aufgegriffen. Das Thema »Die schriftliche wissenschaftliche Arbeit ...« wird den neuesten computergestützten Trends angeglichen, ohne dabei in die Tiefen von desk-top-publishing oder abstürzenden Programmen einzutauchen. Rundum wird das

Kompendium aktualisiert (auch die vorgeschlagenen Leselisten) und um Empfehlungen ergänzt, damit das kleine Büchlein ein moderner und aktueller Begleiter durch das Soziologiehaupt- und -nebenstudium bleibt.

Februar 1993   Ulrike Fink

Anleitung zum wissenschaftlichen Arbeiten in der Soziologie

Der Erfolg des wissenschaftlichen Arbeitens hängt unter anderem davon ab, inwieweit man sich der zweckmäßigen und formal richtigen Hilfsmittel zu bedienen weiß. Erfahrungsgemäß haben nicht nur Studienanfänger an Hochschulen und Fachhochschulen Schwierigkeiten im Umgang mit den angemessenen Arbeitsmethoden, sondern häufig auch fortgeschrittene Studierende und Examenskandidaten. Ein planvolles Vorgehen bei der Arbeitsorganisation oder die richtige Strategie zur Literaturbeschaffung, Literaturauswertung, Erstellung von wissenschaftlichen Arbeiten sind aber nicht nur an der Universität von besonderer Bedeutung, sondern auch in der beruflichen Praxis. Obgleich ihre Bedeutung erkannt worden ist, überrascht es doch, wie unregelmäßig und unsystematisch die Studierenden an den Hochschulen mit den entsprechenden Verfahren vertraut gemacht werden. Die Folge ist, daß die notwendigen Kenntnisse oft nur auf autodidaktischem Wege erworben werden können.

Überall dort, wo aufgrund unzureichender fachlicher Orientierung und mangelnder Erfahrung in der Handhabung der zweckmäßigen Techniken der Studien- und Arbeitserfolg leidet, ist dieses Kompendium als Hilfe gedacht. Es wendet sich an Soziologiestudentinnen und -studenten aller Semester sowie an all diejenigen, die Soziologie im Nebenfach studieren. Dieses Kompendium dient als Lernhilfe all den Studierenden, die sich mit den formalen Anforderungen des wissenschaftlichen Arbeitens vertraut machen wollen; es kann aber auch Ratgeber zur Abfassung jeder wissenschaftlichen Arbeit sein, unabhängig davon, ob es sich um eine Seminar-, Magister-, Diplom- oder auch Doktorarbeit handelt.

Wie in allen Sozialwissenschaften stellt das Studium der Soziologie hohe Anforderungen im Umgang mit den formalen Regeln und den fachspezifischen Verfahren. Gerade die Soziologie ist aufgrund ihres historischen Werdegangs breit gefächert: sie reicht methodisch von höchst theoretischen Analysen bis zu rein empirischen Untersuchungen und inhaltlich von sehr differenzierten Spezialsoziologien bis hin zu grundsätzlichen Erklärungsmodellen von Gesellschaften. Um so mehr ist es erforderlich, sich der arbeitserleichternden Verfahren des wissenschaftlichen Arbeitens in kompetenter Weise bedienen zu können.

Dieses Kompendium soll den Studierenden dabei helfen, Arbeitsschwierigkeiten zu erkennen und abzubauen. Denn gerade die wissenschaftliche Fachdisziplin Soziologie konfrontiert die Studierenden und Lehrenden in besonderem Maße mit dem Erfordernis der sorgfältigen Literaturrecherche, ferner mit der Fähigkeit, sich Informationsquellen autonom zu erschließen und formale Arbeitsmethoden in die Praxis umzusetzen.

So ist dieses Kompendium zwar auch gezielt auf die Studienanforderungen in der Soziologie zugeschnitten, doch schließt dies eine Verwendung im interdisziplinären Bereich nicht aus, da die allgemeinen Anleitungen zur Arbeitsorganisation, Rhetorik und Erstellung schriftlicher Arbeiten auch in anderen geistes- und sozialwissenschaftlichen Fächern gelten.

Das Kompendium verfolgt mehrere Ziele: Es will einen Einblick in die Werkstatt des wissenschaftlichen Arbeitens geben, also einen Beitrag dazu leisten, sich in der Handhabung verschiedener wissenschaftlicher Techniken zurechtzufinden. Das Kompendium ist als Leitfaden zu verstehen, das die Regeln des wissenschaftlichen Arbeitens nach Zweckmäßigkeitsgesichtspunkten zusammengefaßt. Dieser Leitfaden will jedoch nicht eine Sammlung starrer Regeln darstellen, sondern den Rahmen abstecken, in dem sich wissenschaftliches Arbeiten nach Gesichtspunkten der Übersichtlichkeit, Klarheit und Nachprüfbarkeit entfaltet. Insofern erhebt dieses Kompendium den Anspruch auf Richtliniencharakter, wenn auch Abweichungen im Rahmen der Konvention selbstverständlich möglich und unvermeidlich sind.

Im ersten Kapitel wird in einem kurzen Abriß die *Soziologie als Wissenschaft* vorgestellt.

Es schließt sich das Kapitel über die *praktische Organisation des Studiums* an, die als Vorbereitung der eigentlichen geistigen Arbeit oft nur sehr nachlässig und unzureichend gehandhabt wird.

Im Rahmen des dritten Kapitels werden den Benutzern *Hilfsmittel* an die Hand gegeben, mit denen sie sich im breit gestreuten Literaturangebot systematisch und effizient das jeweilig notwendige Schrifttum erschließen können.

Es folgt das Kapitel über die *Erstellung von wissenschaftlichen Arbeiten,* die nach allgemeinem Konsensus einem formalen Rahmen Rechnung zu tragen haben. Ohne die Regularien zu sehr ins Detail zu verlagern, werden hier die wesentlichen Aspekte bei der Gestaltung einer Arbeit übersichtlich zusammengefaßt.

Möglicherweise überrascht einige Leser die Aufnahme eines Kapitels über *Rhetorik und Vortragsform;* es scheint jedoch unerläßlich, im Rahmen eines Leitfadens für das wissenschaftliche Arbeiten dieses Stoffgebiet zu behandeln, da Referate, Vortragsgestaltung und auch die rhetorische Fertigkeit in Prüfungssituationen oftmals nicht den Mindestanforderungen genügen.

Um den Charakter dieses Leitfadens als Arbeitsbuch zu dokumentieren, sind abschließend *Leselisten* aufgeführt, die den Studierenden den Zugang zur Soziologie und die erste Orientierung im Literaturangebot erleichtern sollen.

Überschneidungen zwischen den Kapiteln ließen sich zum Teil aus sachlichen Erwägungen nicht vermeiden. Sie erscheinen jedoch nicht nachteilig, da ohnehin die Kapitel als abgeschlossene Stoffgebiete anzusehen sind und im praktischen Gebrauch zu unterschiedlichen Anlässen als Leitfaden dienen werden.

Selbstverständlich kann dieses Kompendium nicht alle Varianten des wissenschaftlichen Arbeitens in der Soziologie erschöpfend berücksichtigen. Wir hoffen jedoch, daß dieses Buch bei der Bewältigung von auftretenden Problemen und Fragen einen konstruktiven Beitrag liefert und seinen Benutzern die nötige Hilfe bietet.

Kapitel I
Soziologie als Wissenschaft

1. Begriffsklärung und Wissenschaftsverfahren

Die Soziologie ist auf die empirisch-theoretische Erforschung des sozialen Handelns, der gesellschaftlichen Strukturen sowie der sozialen Prozesse ausgerichtet. Im Verlauf der Wissenschaftsgeschichte fand die Soziologie gegenüber anderen Wissenschaftsrichtungen nur langsam Anerkennung, da sie vor der doppelten Schwierigkeit stand, einerseits als Methode zur Veränderung von gesellschaftlichen Verhältnissen mißverstanden zu werden und andererseits sich thematisch und forschungstechnisch gegenüber anderen sozialwissenschaftlichen Disziplinen abgrenzen zu müssen. In der Soziologie wurden und werden daher besondere Forschungsverfahren und Denkmethoden entwickelt, um ein ihren Gegenstand »Gesellschaft« klärendes Begriffs- und Theoriensystem zu schaffen.

Soziologie ist zu verstehen als eine Lehre von der Gesellschaft, die

a) das soziale Handeln der Menschen zu erklären versucht,

b) die verschiedenen Vorgänge innerhalb einer Gesellschaft in einen übergeordneten Beziehungszusammenhang stellt,

c) die Ähnlichkeiten und Unterschiede zwischen verschiedenen Gesellschaften zu beschreiben versucht,

d) die gesellschaftliche Entwicklung und den kulturellen Wandel interpretiert.

Diesen Erkenntnisgegenstand teilt sich die Soziologie mit anderen Sozialwissenschaften, die ihre Schwerpunkte z. B. mehr auf staatswissenschaftliche, philosophische oder ökonomische Fragestellungen setzen. Innerhalb der arbeitsteiligen Forschung in den Sozialwissenschaften steht die Soziologie neben den Fachdisziplinen wie Psychologie, Volkswirtschaft, Politologie, Anthropologie, Ethnologie, Pädagogik etc. Ihre theoretischen Ansätze und Forschungsresultate sind zwar teilweise unabhängig voneinander, es ist jedoch geboten, sie zusammenzuführen und in einer interdisziplinären Betrachtungsweise auszuwerten.

Der wissenschaftliche Erkenntnisprozeß in den Sozialwissenschaften unterliegt also den ausgesprochenen und unausgesprochenen Regeln ihrer hochspezialisierten Teildisziplinen und wird durch das Zusammenwirken eines weitverzweigten Systems von Institutionen wie Hochschulen, Laboratorien, wissenschaftlichen Gesellschaften etc. gefördert. Doch bedeutet die Teilnahme an der soziologischen Forschung nicht unbedingt einen Konsens mit den vorhandenen Ergebnissen. Die Entwicklung der Wissenschaft ist eher ein ständiger Prozeß des Infragestellens, Überprüfens und Suchens. Die Basis der Soziologie bildet ein System von Sätzen, die fortlaufenden Modifikationen unterworfen sind, die – gegenüber den Sätzen der Naturwissenschaften – keinen Anspruch auf eine absolute Wahrheit haben und weder fachlichen und organisatorischen, noch nationalen Grenzen unterliegen. Die Beurteilung des wissenschaftlichen Fortschritts und seiner Resultate ist somit im Regelfall auch höchst unterschiedlich.

Die Bedeutung der Soziologie als Wissenschaft resultiert aus der allgemeinen Anerkennung ihrer Verfahren, aus dem Erkenntniszuwachs, aus dem Niveau des bereits erworbenen Wissensstands und schließlich aus dem Vertrauen in die Leistungsfähigkeit ihrer Forscher und der entsprechenden Forschungsstätten.

Nicht zu vergessen ist dabei auch die (humane) Bedeutung, die die Soziologie für den interessierten Menschen ›draußen‹ haben kann: alles was Menschen sind und tun, so alltäglich es auch sein mag – auch wenn andere Wissenschaftler es als banal empfinden –, hat Bedeutung für die soziologische Forschung. Eine Sensibilität für die Erscheinungen in der Gesellschaft sowie die Kunst des Zuhörens stehen zusätzlich zur fachlichen Qualifikation eines Soziologen in unmittelbarer Beziehung zu jeder soziologischen Erkenntnis. (Berger 1982, S. 178ff.)

Die konstituierenden wissenschaftlichen Einrichtungen in der Soziologie sind nicht nur Bibliotheken, Archive und Seminare, in denen Forschungsresultate dokumentiert und diskutiert werden, sondern auch wissenschaftliche Gesellschaften und Organisationen, Kongresse und Laboratorien, wo die fachspezifischen Verfahren erprobt und verfeinert werden und schließlich neue Erkenntnisse über das gesellschaftliche Zusammenleben gewonnen werden.

Ob und wie allerdings diese Erkenntnisse wieder in den Kreislauf des wissenschaftlichen Forschungs- und Überprüfungsprozesses einmünden, ist zunächst eine ganz pragmatische Frage ihrer Verteilung. Es gibt verschiedene institutionalisierte und informelle Wege, auf denen neue Gedankengänge einer breiteren Fachöffentlichkeit zugänglich gemacht werden. Inwieweit sie die Chance besitzen, zur Kenntnis genommen und zur Diskussion gestellt zu werden, hängt in der Regel vom Ausmaß dessen ab, was ein wissenschaftliches Manuskript an neuen Ergebnissen bereits vorhandenen Erkenntnissen hinzufügt.

Wenn auch vornehmlich die Hochschulen im wissenschaftlichen Erkenntnisprozeß eine entscheidende Position einnehmen, zumal sie die alleinige Verantwortung für die Übermittlung des Wissens tragen, so wächst doch die Zahl der außeruniversitären Einrichtungen wie z. B. Verbände, Stiftungen, wissenschaftliche Gesellschaften, Forschungsorganisationen der Wirtschaft und des Staates, die sich in das komplexe System des Wissenschaftsprozesses einfügen und die Entwicklung in den Sozialwissenschaften vorantreiben. Dabei ist allerdings die Gefahr zu berücksichtigen, daß mit dem Wachstum der Wissenschaft auch bürokratische Tendenzen zunehmen, die darauf zielen, die Wissenschaft gewissermaßen verwaltbar und planbar zu machen. Trotz dieser Strömung bleibt sie primär das Werk individueller Originalität oder konstruktiver face-to-face-Verhältnisse, für die Organisation und Sachmittel keinen Ersatz darstellen.

2. Empirische Sozialforschung und soziologische Theorie

Soziologie als Wissenschaft fußt grundsätzlich auf den beiden Komponenten der Empirie und der Theorie. In der Form der

empirischen Sozialforschung ist Soziologie systematische Erfahrungswissenschaft; bezogen auf ihre theoretische Komponente ist sie eine analytische Erkenntniswissenschaft. Theoretischer und empirischer Aspekt sind beide in gleicher Weise
dem Ziel verpflichtet, den Erkenntnisstand über soziale Prozesse
zu erweitern. Empirische Forschung und Theorie schließen sich
nicht aus, sondern sind eng miteinander verknüpft und bilden
voneinander abhängige Phasen eines einheitlichen Erkenntnisprozesses. Während theoretische Ansätze dazu dienen, empirische Befunde in einen Erklärungszusammenhang einzubinden,
hat die empirische Sozialforschung die Funktion, anhand geeig-
neter Methoden (wie Befragung, Beobachtung, Inhaltsanalyse,
Experiment) Hypothesen und theoretische Annahmen zu bestä-
tigen oder zu korrigieren. Erst die systematische Wechselwir-
kung von empirischer Forschung und Theorie konstituiert
Soziologie als Erfahrungswissenschaft.

Allerdings ist das grundsätzliche Verhältnis von Sozialforschung und Theoriebildung in der Soziologie umstritten. Zwischen den Vertretern einer empirisch-analytischen (neopositi-
vistischen) und denen einer kritisch-dialektischen Betrachtungsweise bestehen Auffassungsunterschiede darüber, wie das Ziel
sozialwissenschaftlichen Arbeitens zu definieren ist und was
soziologische Theorie ist oder sein soll (Mayntz u.a. 1974,
S. 23 ff). Nach Ansicht der empirisch-analytisch orientierten
Soziologen (z.B. Popper, Albert, König) handelt es sich im wissenschaftlichen Forschungsprozeß um die Entwicklung und Bewährung von allgemeinen Gesetzesaussagen über soziale Regelmäßigkeiten und Beziehungszusammenhänge. »Für den strikt
erfahrungswissenschaftlichen Soziologen ist Beschreibung und
Erklärung sozialer Phänomene das Ziel. Die angestrebte Theorie ist ein (...) System von empirisch prüfbaren Aussagen.«
(Mayntz u.a. 1974, S. 24). Die aus empirischen Ergebnissen
gewonnene Theorie muß so formuliert sein, daß ihre Sätze prinzipiell am Kriterium »wahr oder falsch« wieder empirisch überprüfbar sind.

Der Aussagewert der Ergebnisse aus der empirischen Sozialforschung ergibt sich hier in erster Linie aus den vom Forscher

selbst zu treffenden Entscheidungen über das Verhältnis von sozialem Tatbestand und sozialwissenschaftlichem Begriff, mit dem der soziale Tatbestand abgebildet und in Beziehung zu anderen Tatsachen überprüft werden soll. (Hartfiel 1982, S. 167)

Die Vertreter eines kritischen Ansatzes (z. B. Adorno, Horkheimer) definieren als Erkenntnisziel nicht nur die Beschreibung und Erklärung sozialer Gegebenheiten, sondern sie beziehen in den Forschungsprozeß auch die historische Bedingtheit ihrer Kategorien und Theorien mit ein. Auf die kritische Beurteilung der von den Menschen geschaffenen Wirklichkeit und auf Urteile darüber, was ist, nicht ist oder sein sollte, ist das Kriterium empirischer Überprüfbarkeit nicht anzuwenden. Allerdings können sich auch solche Urteile nur auf soziale Sachverhalte beziehen, »die als solche zunächst empirisch festzustellen und zu erklären sind«. (Mayntz u. a. 1974, S. 25).

3. Methodische Verfahren in der Soziologie

Die methodischen Verfahren oder Instrumente, deren sich die Soziologie bedient, haben den Zweck, Aussagen von wissenschaftlicher Geschlossenheit über das gesellschaftliche Zusammenleben hervorzubringen. Von den Methoden als den generellen Verfahrensgrundsätzen der Soziologie sind die Techniken der empirischen Forschung als die konkreten Maßnahmen und Instrumente der Materialsammlung zu unterscheiden.

Zu den Methoden der Soziologie gehören:

Die theoretische Methode. Sie führt zur Erklärung und Prognose von sozialem Geschehen in bestimmten gesellschaftlichen Bereichen oder in allgemeinen Handlungsbezügen. Dazu werden Begriffe gesucht und gebildet, die die Wahrnehmung ordnen sollen, das Wahrgenommene bewerten und die Kommunikation über ihren Vorstellungsinhalt ermöglichen (Mayntz u. a. 1974, S. 10). Soziologische Theorien sind Systeme von Sätzen, die a) untereinander logisch ableitbar sind, b) informativ sind, d. h. Realitätsbezug haben und c) eine Erklärung über das Entstehen und Bestehen sozialer Sachverhalte liefern.

Ein wichtiges Merkmal der theoretischen Methode ist der Versuch, Definitionen in Korrespondenz zu empirischem Wissen zu aktualisieren und zu präzisieren. Darüber hinaus werden Hypothesen und Thesen über soziale Wirkungszusammenhänge aufgestellt, die so beschaffen sein müssen, daß sie ein Überprüfungsverfahren ermöglichen.

Die theoretische Methode läßt sich in eine *analytische* und eine *synthetische* Variante unterteilen:

Die analytische Methode ist ein Verfahren zur Zergliederung und Untersuchung der gesellschaftlichen Zusammenhänge, bei dem ein problematisiertes Phänomen in seine Elemente zerlegt wird. So läßt sich z. B. im Rahmen einer Untersuchung über die gesellschaftlichen Wirkungen der Zeit die soziale Zeit in folgende analytische Elemente untergliedern: Zeitnorm, Zeitbudget, Zeitordnung, Zeitbewußtsein, Zeitrhythmus etc. Die Analyse beläßt es allerdings nicht bei der Begriffspräzisierung, sondern bezieht die im einzelnen entwickelten Elemente wieder so aufeinander, daß aus ihnen ein neuer Erklärungszusammenhang der sozialen Wirklichkeit entsteht.

Die synthetische Methode nimmt die Verknüpfung und gedankliche Verbindung einzelner (durch Analyse erklärter) Elemente zu einer Ganzheit vor, d. h. von der Darstellung der konkreten Einzelerscheinungen wird ein allgemeiner Erklärungsversuch abgeleitet. »So wird z. B. der Trend zur partnerschaftlichen Familie als Strukturelement des allgemeinen Demokratisierungsprozesses unserer Gesellschaft begreiflich, der seinerseits eine viele Bewegungsrichtungen und Einzelelemente umfassende Gesamtheit darstellt.« (Wallner 1975, S. 59).

Im Rahmen des wissenschaftlichen Vorgehens lassen sich für die Entwicklung von Theorien und Hypothesen grundsätzlich zwei methodische Varianten anwenden: das *induktive* und das *deduktive* Verfahren. Sie bilden nicht nur ein methodisches Erfordernis für den Weg einer Beweisführung, sondern stellen auch für jede Form der schriftlichen wissenschaftlichen Arbeit eine Richtschnur für die Darstellung von Theorien oder präziser: für die Darstellung des Verhältnisses von Theorien und empirischem Beobachtungsmaterial dar.

Als Induktion wird die Ableitung von Regeln, Hypothesen und Gesetzen aus einer Reihe von empirischen Einzelbeobachtungen bezeichnet. Zum Beispiel könnte eine Hypothese alle katholischen Kirchenmitglieder in allen Gesellschaften zu allen Zeiten implizieren. Eine entsprechende Überprüfung der Hypothese müßte auch alle diese Personen einschließen, was aber praktisch nicht durchführbar wäre. Es bleibt nur die Möglichkeit, von einer entsprechend begrenzten Anzahl von empirischen Überprüfungen auf die gesamten Eigenschaften der Untersuchungsobjekte (hier Kirchenmitglieder) zu schließen (Schnell, Hill u. Esser 1989, S. 45f.). In der Argumentation schreitet man vom Besonderen zum Allgemeinen, von der Einzelbeobachtung zur generellen These vor, d.h., daß gedanklich eine Anzahl von realen Einzelfällen in eine Kette von Folgerungen umgesetzt wird, die in einer theoretischen Erklärung münden. Seit Popper ist man allerdings davon abgekommen, Theorien aus solchen einfachen Induktionsschlußverfahren abzuleiten (vgl. Popper 1976). Das induktive Verfahren wird deshalb in der Erfahrungswissenschaft nur noch zur Begründung und Bewährung von bereits existierenden, theoretischen Sätzen angewendet (Hartfiel 1982, S. 330).

Die Deduktion geht den umgekehrten Weg und leitet aus einer allgemeinen Theorie das Besondere ab, d.h. im Zuge des deduktiven Verfahrens bemüht man sich, eine allgemeine Theorie auf besondere Fälle anzuwenden und aus dieser vorausgesetzten Theorie mittels logischer Schlußfolgerungen neue gültige Erkenntnisse in einem Spezialgebiet abzuleiten. Zum Beispiel wird in den öffentlichen Medien von Diskriminierung von Ausländern durch Einheimische berichtet: Diskriminierung am Arbeitsplatz, auf dem Wohnungsmarkt usw., Ereignisse, die unter dem Begriff Ausländerfeindlichkeit zusammengefaßt werden. Ein Soziologe interessiert sich nun für die Frage: Warum kommt es zur Ausländerfeindlichkeit? Der Soziologe sucht nach den Ursachen für dieses Phänomen. Eine wissenschaftliche Erklärung hierfür liegt unter folgenden Bedingungen vor:

(1) Es muß ein Gesetz bzw. eine Hypothese benennbar sein, in dem Ausländerfeindlichkeit als die Auswirkung eines anderen

Faktors (Ursache) vorkommt. So eine Hypothese könnte lauten: »Wenn die einheimischen Mitglieder einer Gesellschaft sich auf dem Arbeitsmarkt in Konkurrenz zu Ausländern sehen, dann neigen sie zur Ausländerfeindlichkeit.«

(2) Die in der Hypothese oder im Gesetz genannte Ursache (hier: Konkurrenz) muß empirisch, also in der tatsächlichen Lebenswelt, und nicht nur als sprachliche Aussage, vorliegen.

Die Erklärung des zu erklärenden Phänomens (Explanandum) »Ausländerfeindlichkeit« erfolgt also über die logische Deduktion aus dem Gesetz (»Wenn ..., dann ...«) und der Überprüfung des empirischen Vorliegens der Ursache (Randbedingung) (Schell, Hill u. Esser 1989, S. 42ff.).

Struktur und Komponenten einer D-N-Erklärung

Explanans	Gesetz (Allaussage)	Wenn Konkurrenz, dann Ausländerfeindlichkeit
	Randbedingung (singuläres Ereignis)	In Gesellschaft x besteht Konkurrenz
Explanandum	zu erklärendes Phänomen (singuläres Ereignis)	In Gesellschaft x existiert Ausländerfeindlichkeit

(Quelle: Schnell, Hill u. Esser 1989, S. 44)

Die verstehende Methode, in der Soziologie auf Max Weber zurückgehend, unterstellt, daß gesellschaftliche Zusammenhänge nicht in Gänze durch eindeutige Kausalgesetze zu erklären sind, sondern jeweils aus einer kulturspezifischen Perspektive deutend zu erschließen sind. Es kommt bei dieser Methode darauf an, durch Intuition und Einfühlungsvermögen den subjektiven Sinn von einzelnen Handlungsweisen und mit ihnen spezifische Sinnzusammenhänge zu erfassen. Die verstehende Methode ist jedoch kein eigenständiger Verfahrensgrundsatz, sondern kommt in Kombination mit anderen Verfahren zum Einsatz.

Die idealtypische Methode hat beschreibende und erklärende Funktionen und dient der Bildung von Hypothesen über die kausal-genetischen Zusammenhänge der Realität. Idealtypen, in denen bestimmte Merkmalkombinationen gedanklich rein zusammengefaßt sind, sind z. B. der rationale, traditionale oder charismatische Herrschaftstyp (M. Weber) oder die Konstruktion des außen-geleiteten, innen-geleiteten und traditional-geleiteten Menschtyps (Riesman). Der Idealtypus hat als ein Gedankenbild die Bedeutung eines »rein idealen Grenzbegriffs« (M. Weber), mit dem die realen Phänomene zur Verdeutlichung bestimmter Eigentümlichkeiten und Charakteristika verglichen und gemessen werden können.

Die empirische Methode. Sie kennzeichnet den Status der Soziologie als Erfahrungswissenschaft und wird eingesetzt zur Ermittlung sozialer Grunddaten oder zur Untersuchung von Ausschnitten aus der sozialen Wirklichkeit. Es kann sich hierbei um Sekundäranalysen bereits vorhandenen statistischen Materials oder um die Erhebung neuer Daten handeln. Dazu dienen vor allem Untersuchungsverfahren wie Befragungen, Soziometrie, Inhaltsanalysen, Experimente, Beobachtungen etc.

Im Rahmen der empirischen Methode müssen Begriffe operationalisiert werden, da die meisten Theorien oder Hypothesen sich auf nicht direkt beobachtbare Begriffe beziehen, z. B. Begriffe wie soziale Schichtung, Zufriedenheit, Gleichberechtigung. Die verwendeten Begriffe müssen also präzisiert werden, was mit Hilfe der Operationalisierung geschieht: einem Begriff werden beobachtbare Indikatoren zugeordnet; für soziale Schichtung z. B. das Einkommen, die Wohnlage, der Beruf, die Ausbildung. Die Operationalisierung ist daher ein in der Forschung für jeden Begriff »notwendiger Übersetzungsvorgang in Techniken bzw. Forschungsoperationen« (Mayntz u. a. 1974, S. 18), die gemessen werden können.

Es lassen sich *deskriptive* und *verifizierende* Verfahren unterscheiden: Forschung, die nach der Beschaffenheit von sozialen Phänomenen fragt und deren Beschreibung und Klassifikation vornimmt, nennt man deskriptiv. Ihre Daten gewinnt sie u. a. aus der Beobachtung.

Forschung, die nach Zusammenhängen und Abhängigkeiten zwischen verschiedenen sozialen Phänomenen fragt, nennt man verifizierend bzw. auch kausal-erklärend. Sie bedient sich häufig der Technik des Experiments.

4. Theorieformen

In der Soziologie sind Theorien unterschiedlichen Abstraktionsgrades und verschiedener Reichweite zu unterscheiden. Es gibt Theorien, die primär aufgrund der empirischen Überprüfung und Bestätigung von Hypothesen aufgestellt worden sind und solche, die primär aufgrund von Deduktion durch eine a priori Vernunfteinsicht entwickelt wurden.

René König unterscheidet nach Abstraktionsgraden geordnet vier Stufen in der Theoriebildung (König 1973, S. 4):

(1) Beobachtung empirischer Regelmäßigkeiten.

(2) Entwicklung von ad-hoc-Theorien, d. h. von Theorien, die Sachverhalte meist aus gegebenem Anlaß als zeitlich-räumliche Besonderheit, also nur für einen »Fall« analysieren. Solche Theorien sind zur Erklärung größerer Zusammenhänge nicht brauchbar. Ad-hoc-Theorien kommen daher vornehmlich Hilfsfunktionen zu.

(3) Theorien mittlerer Reichweite. Der Begriff stammt von R. K. Merton und bezeichnet Theorien, die ihrem Gel-

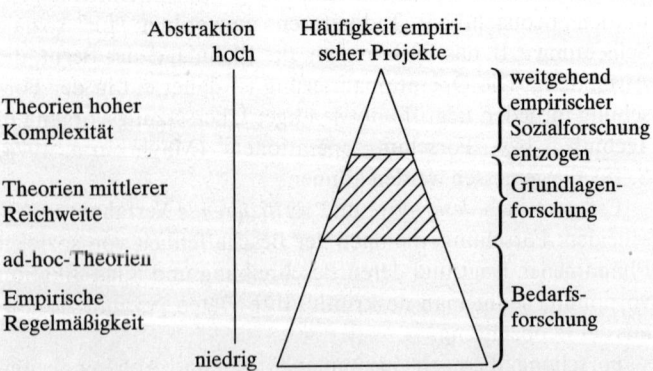

Abstraktionsgrad von Theorien (Quelle: Atteslander 1991, S. 57)

tungsumfang nach mehr sein wollen als nur erklärende Aussagen über einzelne, zeitlich und räumlich eng begrenzte empirische Regelmäßigkeiten. Theorien mittlerer Reichweite sind auf der anderen Seite aber auch keine umfassenden, komplexen Gesellschaftstheorien.

(4) Theorien höherer Komplexität sind ihrem Anspruch nach umfassende und vollständige Erklärungsmodelle von sozialen Zusammenhängen.

Als Sonderfall läßt sich noch der Typ der Quasi-Theorie nennen. Die Quasi-Theorie ist ein Aussagensystem, das sich entweder nur auf eine bestimmte Zeitspanne, einen bestimmten Kulturkreis oder einen nach bestimmten Merkmalen abgegrenzten Personenkreis bezieht und daher keine raum-zeitlich unbegrenzte Gültigkeit anstrebt. Der Status von Quasi-Theorien ist wissenschaftsmethodologisch umstritten.

5. Hauptströmungen der gegenwärtigen soziologischen Theorie

Die Soziologie ist durch eine Vielfalt an Strömungen gekennzeichnet, die jedoch nicht alle den Status von eigenständigen Theorien haben. Als die wichtigsten sind zu nennen:

Kritischer Rationalismus, Neopositivismus (K. R. Popper, H. Albert)

Wissenschaftliche Fragestellungen, die sich nicht auf sinnlich wahrnehmbare bzw. mit naturwissenschaftlichen Arbeitsverfahren beobachtbare Erfahrungstatsachen beziehen, werden als Scheinprobleme angesehen. Jede Theorie muß an Tatsachen überprüft und gegebenenfalls falsifiziert werden können. Hypothesen gelten immer nur als vorläufig.

Dialektisch-kritische Theorie (Th. Adorno, M. Horkheimer)

Die theoretischen Aussagen dürfen sich nicht auf empirisch überprüfbare Basissätze beschränken, sondern müssen selbst Gegenstand kritischer Betrachtung werden. Erkenntnis und Interesse des Forschers, Forschungsobjekt und Forschungssubjekt, empirische Sachverhalte und subjektive Wertungen lassen sich nicht trennen. Deshalb ist Theorie immer eine Methode, die von der Sache selbst, dem Erkenntnisgegenstand, bestimmt werden muß.

Strukturell-funktionale Theorie (T. Parsons)

Im Mittelpunkt der Theorie stehen die Begriffe Struktur und Funktion mit der Absicht, die gesellschaftliche Wirklichkeit aus den sie konstituierenden Elementen abzuleiten. Die Gesellschaft bzw. die sozialen Beziehungen werden als ein sich selbst regulierendes System begriffen, das durch die wechselseitig aufeinander bezogenen Handlungen strukturiert ist. Die funktionalen Leistungen der Teilsysteme (wie personales, kulturelles und soziales System) zur Erhaltung des Gesamtsystems werden besonders hervorgehoben.

Die Systemtheorie (N. Luhmann)

kann als Weiterentwicklung der strukturell-funktionalen Theorie angesehen werden. Im Mittelpunkt stehen die Prozesse und die Funktionen der Differenzierung des gesellschaftlichen Systems in Teilsysteme. Die Existenzbedingungen der Teilbereiche in Beziehung zu den anderen Teilbereichen (Außenwelt des Systems) werden analysiert. Als soziale Systeme müssen Gesellschaften vor allem zwei Probleme lösen: das Problem der Ordnung und das Problem der Stabilität. Dies bedeutet, ein größtmögliches Maß an sozialer Integration und »Reduktion von Komplexität« (Begriff von Niklas Luhmann)[1] zu erreichen.

Symbolischer Interaktionismus (J. Matthes, P. L. Berger, Th. Luckmann)

Die von Menschen geschaffene Kultur wird als in Symbolen (Sprache) verwirklicht angesehen, die als Voraussetzung für das Zustandekommen von sozialer Interaktion und für gegenseitiges Verstehen gelten.

Verhaltens- und Lerntheorie, Sozial-Behaviorismus (K. D. Opp)

Der Behaviorismus, ursprünglich eine rein lernpsychologisch fundierte Verhaltenstheorie, interpretiert soziale Interaktionen als Wahrscheinlichkeitsreaktion auf soziale Erfahrungen. Im

---

[1] Reduktion von Komplexität heißt: Ausschaltung von Optionen, Alternativen sozialen Handelns.

Mittelpunkt stehen beobachtbare Reize und die darauf erfolgten Reaktionen. Lernen wird danach interpretiert als meßbare Veränderung in einem Reiz-Reaktions-Schema.

Handlungstheorie (M. Weber, H. Haferkamp)

Der Ansatz der Handlungstheorie basiert in erster Linie auf der Annahme, daß soziales Handeln durch die gesellschaftliche Ordnung, ihre Normen und Institutionen bestimmt wird. Sie untersucht die Bedingungen, Voraussetzungen und Folgen des sozialen Handelns und berücksichtigt Traditionen, Ziele und differenzierte Wertvorstellungen. Sozialwissenschaftliche Theorieansätze wie Symbolischer Interaktionismus, Verstehende Soziologie, Strukturfunktionalismus können zum Teil auch als handlungstheoretische Modelle interpretiert werden.

Konflikttheorie (R. Dahrendorf, C. W. Mills)

Zum Verständnis der sozialen Wirklichkeit erfährt hier die Rolle des Konfliktes besondere Aufmerksamkeit. Konflikte werden als allgegenwärtig angesehen und sind »... strukturell erzeugte Gegensatzbeziehungen von Normen und Erwartungen, Institutionen und Gruppen«. (Dahrendorf, R. 1961, Gesellschaft und Freiheit, S. 125).

Strukturalismus (C. Lévi-Strauss)

Über Inhalt, Funktion und Bedeutung des Strukturalismus gibt es Auffassungsunterschiede. Der Kerngedanke des Strukturalismus besteht darin, Sprache, Gesellschaft oder Persönlichkeit als ein System von Beziehungen zu erkennen, deren Elemente ohne Bezug auf die Ganzheit nicht analysiert werden können (Boudon 1973, S. 14). Die Realität selbst wird als Struktur begriffen und ähnelt einem Code wie der Sprache. Daher besteht z. B. ein Zusammenhang zwischen Kultur und Sprache, d. h., daß beide Phänomene vom gleichen Typus sind.

Der Neomarxismus (I. Fetscher, C. Offe) untersucht die Bedeutung marxistisch-geschichtsphilosophischer Thesen für die sozialen Systeme des »Spätkapitalismus« und analysiert die Möglichkeiten sozialrevolutionärer Theorie und Praxis in hochindustrialisierten Gesellschaften.

6. Stufen des Forschungsprozesses in der Soziologie

Der Forschungsprozeß in der Soziologie umfaßt sowohl die Weiterentwicklung von Theorien als auch empirische Untersuchungen. Die einzelnen Phasen dieses Prozesses sind zugleich auch eine pragmatische, flexible Richtschnur für die Darstellung eines Themas in einer wissenschaftlichen Arbeit.

Der Forschungsprozeß beginnt mit der Formulierung eines Problems bzw. eines vorläufigen Themas. Bevor dieses in der Regel eher generelle Thema in eine Forschungsfrage bzw. in ein Arbeitsthema umgewandelt werden kann, müssen die vorhandene theoretische Literatur und eventuelle Forschungsberichte aufgearbeitet werden. Dadurch wird verhindert, daß man entweder in seiner Arbeit hinter dem bereits erreichten Forschungsstand zurückbleibt, daß man wichtiges, bereits vorhandenes Material nicht berücksichtigt oder daß man bereits »erledigte« Fragen wieder aufgreift, anstatt sich neuen Aspekten eines Problems zuzuwenden.

Wenn man sich mit dem Forschungsstand zum gestellten Problem vertraut gemacht hat, ein schriftliches Resümee gezogen hat und der Gegenstandsbereich begrifflich vorstrukturiert ist, ist die spezielle Forschungsfrage aus dem Problembereich zu formulieren.

Als nächster Schritt folgt eine vorläufige Erklärung des Forschungsproblems durch eine Arbeitshypothese. Während eine These eine einfache Feststellung ist, z. B.: die Arbeitszufriedenheit in der Gruppe X ist hoch, was anschließend zu beweisen wäre, handelt es sich bei der Hypothese um die Behauptung eines Zusammenhangs zwischen mindestens zwei Variablen, z. B.: je partizipativer der Führungsstil, desto höher die Arbeitszufriedenheit in einer Gruppe.

An die Hypothese werden mehrere logische Anforderungen gestellt:

(1) Logische Konsistenz, d. h. sie darf in sich nicht widersprüchlich sein.

(2) Allgemeinheit, d. h., die Hypothese muß auf alle Phänomene und die zwischen ihnen bestehenden Zusammenhänge, auf

die sie sich ausdrücklich bezieht, anwendbar sein. Darüber hinaus soll es sich bei dem behaupteten Zusammenhang um einen regelmäßig auftretenden und keinen zufälligen oder einmaligen Zusammenhang handeln.

(3) Erklärungswert, d. h., die Hypothese soll der Erklärung empirischer Einzelerscheinungen dienen. Dies ist vor allem dann der Fall, wenn es sich bei der behaupteten Beziehung um eine Kausalbeziehung handelt (Mayntz u. a. 1974, S. 30).

(4) Informationsgehalt, d. h., die Hypothese darf nicht alle in der Realität möglichen Fälle einschließen. Der Informationsgehalt einer Hypothese ist um so größer, je kleiner der Ausschnitt aus der Wirklichkeit ist, auf den sie sich bezieht.

(5) Realitätsbezug oder empirische Überprüfbarkeit, d. h., die Hypothese soll eine empirisch gehaltvolle Aussage über eine angebbare Realität beinhalten. Speziell für den Zweck der empirischen Forschung muß sie überprüfbar sein, d. h., die Variablen müssen durch entsprechende Operationalisierung empirisch meßbar werden.

Diesen logischen Anforderungen muß der Aufbau einer Hypothese Rechnung tragen, ehe ihre empirische Überprüfung vorgenommen werden kann.

Als nächster Schritt im Forschungsprozeß folgt, wenn es sich um eine theoretische Arbeit handelt, der Entwurf eines Themaplans. Aus der Hypothese werden einzelne Gesichtspunkte abgeleitet, die mit Hilfe von entsprechendem Material diskutiert werden. Dieses Material kann theoretischer Art sein. In diesen Fällen würde dann die aufgestellte Hypothese mittels logischer Schlußregeln deduktiv aus einer vorausgesetzten, bislang als wahr erwiesenen Theorie abgeleitet.

Das Material kann aber auch empirischer Art sein. Zwar ist es nicht möglich, allein aus der Beobachtung von empirischen Einzelfällen Theorien zu gewinnen, da jede Theorie als System von generalisierenden Sätzen über einzelne reale Beobachtungsfälle hinausgeht. Der induktive Schluß kann aber aus empirischen Einzelbeobachtungen die Richtigkeit von Hypothesen unterstützen.

Abschließend werden im letzten Schritt des Forschungsprozesses der Geltungsbereich der gewonnenen Aussagen und Argumente abgesteckt und die Ergebnisse anderen Forschern zur Überprüfung zugänglich gemacht.

Einen anderen Weg geht der empirische Forschungsprozeß. Nach der logischen Überprüfung der Hypothese werden der Forschungsplan festgelegt und die Instrumente ausgewählt. Es wird eine Untersuchungsanordnung getroffen. Um den Forschungsgegenstand möglichst präzise zu erfassen, müssen die zentralen Begriffe operationalisiert werden. Eine operationale Definition ist gültig, wenn durch die Meßoperationen genau das erfaßt wird, was gemessen werden soll (Validität). Sie ist zuverlässig, wenn bei wiederholter Anwendung unter gleichen Bedingungen stets die gleichen Ergebnisse erzielt werden (Reliabilität).

Stichprobe und Auswertungstechniken werden bestimmt. Aus der Hypothese werden einzelne Prüfungshypothesen abgeleitet und Voraussagen gemacht. Schließlich wird die Erhebung des Materials vorgenommen. Die Daten werden aufbereitet, analysiert und die Forschungsfrage zu beantworten gesucht.

Die Hypothese ist dann als verifiziert zu betrachten, wenn die aus ihr abgeleiteten Prüfungshypothesen durch die Tatsachen bestätigt werden. Sie ist dann falsifiziert, wenn eine der Prüfungshypothesen nicht mit den Tatsachen übereinstimmt.

Schließlich wird der Geltungsbereich der gewonnenen Aussagen abgesteckt und der Zusammenhang mit einer bestehenden Theorie hergestellt.

Hält die Hypothese mit dem gesamten Forschungsprozeß der intersubjektiven Überprüfung durch andere Forscher stand, kann sie als Theorie anerkannt werden.

Diese Stufen des wissenschaftlichen Forschungsprozesses bilden einen Rahmen, in dem soziologische Fragestellungen beantwortet und die zu ihrer Klärung benutzten Verfahren nach erprobten Regeln angewendet werden können. Gleichwohl sind die Phasen des Forschungsprozesses nicht quasi vorgegeben, sondern sind selbst ein zentraler Diskussionsgegenstand. Die Erfahrung zeigt, daß der Aussagewert von Ergebnissen nicht losgelöst von der Vorgehensweise des Forschers und seiner Forschungsplanung zu beurteilen ist. Um so wichtiger ist es, den Forschungsprozeß der wissenschaftlichen Untersuchung und laufenden Überprüfung auszusetzen.

7. Genese von Forschungsfragen

Unter Forschungsthemen können sowohl pragmatische Einzelprobleme gefaßt werden als auch hochkomplexe Modelle sozialer Zusammenhänge, die analysiert werden sollen. Die Genese von Forschungsfragen wird je nach methodologischem Standort unterschiedlich beurteilt. Folgt man dem erfahrungswissenschaftlichen Ansatz, ist die Wahl der Fragestellung prinzipiell beliebig (Mayntz u.a. 1974, S. 26f). Sie ergibt sich aus dem mehr oder weniger persönlichen und zufälligen Interesse des Forschers oder seines Auftraggebers, das »durch Lücken oder Fragwürdigkeiten der bestehenden Theorie oder durch wahrgenommene soziale Probleme geweckt« wurde (Mayntz u.a. 1974, S. 26). Soziale Probleme, die Forschungsinteresse hervorrufen, sind z. B. Diskriminierung von Minderheiten, Jugendkriminalität, Drogensucht, politischer Extremismus, Ehescheidungen, Wirkung von Massenmedien und vieles mehr. Es muß jedoch nicht immer ein solch praxisnahes Erkenntnisinteresse vorliegen.

Der Begriff des sozialen Problems kann auch eine neutrale Bedeutung annehmen, wenn nämlich unter ihm nicht nur soziale Mißstände gefaßt werden, sondern auch soziale Phänomene, die weniger der gesellschaftlichen Bewertung unterliegen, wie z. B. der familiale Rollenhaushalt, Prozesse der nonverbalen Kommunikation, das Verhältnis der Generationen in der Gesellschaft etc.

Praxisferneres oder zumindest nicht unmittelbar praxisnahes Erkenntnisinteresse dürfte in der Regel dann gegeben sein, wenn Theorien entworfen oder bereits bestehende Theorien weiterentwickelt werden sollen. Ziel ist in diesen Fällen nicht Hilfestellung bei der Bewältigung der sozialen Wirklichkeit, sondern eher dem Wissen davon näherzukommen, wie Gesellschaften beschaffen sind. In der Soziologie wird z. B. an der Konstruktion von Theorien gearbeitet, die der Erklärung von Teilbereichen wie Staat, Wirtschaft, Recht, Religion etc. dienen.

Eine andere Position zur Genese von Forschungsfragen wird von der dialektisch-kritischen Wissenschaftstheorie bezogen. Nach dieser Auffassung ist das angenommene Ziel des wissenschaftlichen Erkenntnisprozesses Kritik an der Gesellschaft. Die Vorstellung von dem, was sein sollte, ist in der sozialen Wirklichkeit bereits objektiv vorgegeben. Daher sind »die relevanten Fragestellungen durch den Gegenstand selbst bestimmt und somit nicht prinzipiell beliebig (...)« (Mayntz u. a. 1974, S. 27). Der Forscher hat daher die Aufgabe, den Unterschied zwischen Sein und Sollen herauszuarbeiten und Möglichkeiten zur Überwindung dieser historisch wechselnden Diskrepanz zu entwerfen.

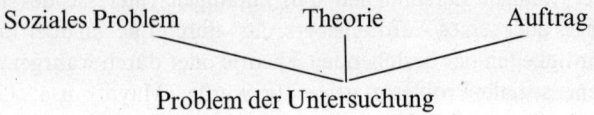

Soziales Problem   Theorie   Auftrag

Problem der Untersuchung

8. Funktionen der Soziologie

Soziologie als praktizierte Wissenschaft ist nicht denkbar in traditionalen Gesellschaften, in denen ein tief verwurzelter, unverrückbarer Glaube an eine religiös, metaphysisch oder animistisch legitimierte Sozial- und Herrschaftsordnung besteht und Gesellschaft nicht als ein historisch relativer, der rationalen Erkenntnis zugänglicher Gegenstand angesehen wird. Soziologie als Wissenschaft ist erst möglich in Gesellschaften, in denen rationale und systematisch angelegte Überlegungen und Forschungen angestellt werden, »um vorhandene soziale Verhältnisse und Lebenslagen in ihrer Verursachung, in ihrer ideologischen Begründung, mit ihren Macht- und Herrschaftsstrukturen einsichtig und transparent zu machen (...).« (Wössner 1974, S. 17).

In diesem Sinne kann die Soziologie innerhalb der Gesellschaft und für das menschliche Zusammenleben verschiedene Funktionen erfüllen:

Die *Wissensfunktion* besteht darin, die Gesetze, denen soziales Verhalten unterliegt, aufzudecken, und die Mechanismen, die sich in Gesellschaften vollziehen, einsichtig zu machen. Sofern die Soziologie dies zu leisten vermag, setzt sie damit die Gesellschaft in den Stand, den erreichten Entwicklungsgrad als historisch zu erkennen und der Veränderung für fähig oder bedürftig zu halten.

Dies deutet bereits auf eine weitere Funktion, die *kritische Funktion* der Soziologie hin. Sie gründet auf der Erkenntnis, daß die gesellschaftlichen Erscheinungen, Leitbilder, Staatsvorstellungen und Herrschaftsverhältnisse durch die Menschen selbst als handelnde Wesen zustande gekommen sind. Die Soziologie kann deren Fragwürdigkeit oder Legitimität, ihre Funktionalität oder Dysfunktionalität erörtern und den gesellschaftlichen Gruppen zur Diskussion stellen.

Die *Informationsfunktion* der Soziologie steht mit der Wissensfunktion und der kritischen Funktion in enger Verbindung. Ist Informiertheit wichtigste Voraussetzung für soziale Partizipationschancen, für Mitbestimmung und Demokratisierung in sozialen Gruppen, so kann die Soziologie durch Offenlegung von sozialen Grunddaten die gesellschaftlichen Handlungsalternativen transparent machen, Emanzipationsprozesse ermöglichen und die Einsicht in die soziale Komplexität vertiefen. Problematisch kann es allerdings sein, daß in der Regel nicht alle gesellschaftlichen Gruppen vom Informationsangebot der Soziologie Gebrauch machen und dadurch Handlungsmöglichkeiten unterschiedlich eingeschätzt und genutzt werden. Dieses »Abstinenzverhalten« ist selbst sozial determiniert und Gegenstand soziologischen Interesses.

Legitimationsfunktion kann die Soziologie in Gesellschaften haben, in denen Ideologien dazu dienen, einen bestehenden Zustand zu konsolidieren und die vorhandenen Herrschaftsverhältnisse zu stabilisieren. In diesen Fällen ist das Ziel der Erkenntnisgewinnung dem Ziel der Rechtfertigung des status quo untergeordnet.

Schließlich dient die Soziologie der Vorbereitung und Plausibilität von Entscheidungsverfahren sowie der Fundierung politischer und sozialer Steuerungsprozesse *(instrumentelle Funktion)*. Die Soziologie stellt bis zu einem gewissen Grad ein pragmatisches Instrumentarium zur Beantwortung aktueller sozialer Fragen und zur Lösung konkreter gesellschaftlicher Probleme bereit.

In einem erweiterten utilitaristischen Sinn bildet die Anwendung sozialwissenschaftlicher Regeln, Gesetzmäßigkeiten und Methoden die Grundlage einer »Sozialtechnologie«. Dabei geht es um die Effizienz von Entscheidungs- und Konfliktlösungsverfahren sowie um die Voraussetzungen für zielgerichtetes Handeln, das allerdings auf seine Inhalte und seinen sozialen Stellenwert hin ständig einer Überprüfung unterzogen werden muß.

9. Gegenstandsbereiche der Soziologie

a. Allgemeine Soziologie und spezielle Soziologien

Innerhalb der Soziologie wird eine Unterscheidung nach dem Gegenstandsbereich vorgenommen: nach Themen der allgemeinen Soziologie und nach Themen der speziellen Soziologien bzw. der sogenannten Bindestrich-Soziologien. Forschungsinhalte der allgemeinen Soziologie sind die Erscheinungen des Gesellschaftslebens, die als grundlegende Prozesse, Beziehungen und Normen das soziale Handeln der Menschen strukturieren und in alle Gesellschaftsbereiche ausstrahlen. Entsprechend der verschiedenen wissenschaftstheoretischen Positionen, werden die grundlegenden Zusammenhänge sozialen Lebens in der allgemeinen Soziologie durch unterschiedliche theoretische Richtungen begründet. Die Dimensionen des sozialen Handelns an sich werden demnach von divergierenden theoretischen »Schulen« erforscht und auch unterschiedlich bewertet (vgl. Kap. Hauptströmungen …). Zentrale Probleme der allgemeinen Soziologie sind z. B. Sozialisation, Schichtung, soziale Normen, Vorurteile, aber auch Mobilität, Konflikt, sozialer Wandel und soziale Kontrolle, ferner das Dimensionsdreieck von Rolle,

Position und Status sowie die Analyse genereller sozialer Systeme.

Die Ansätze der allgemeinen Soziologie enthalten jedoch nicht nur ein ausgefeiltes System kategorialer Begriffe, sondern verstehen sich auch als Ausdruck eines Bemühens, diese Begriffe wie z. B. Norm, Sanktion, Herrschaft und Schichtung aufeinander zu beziehen und dadurch gesellschaftliche Strukturen und ihre Wirkungen zu erklären.

Die Anwendung jener Elemente der allgemeinen Soziologie auf einzelne Lebensbereiche hat − entsprechend der Vielfalt dieser Lebensbereiche − spezielle Soziologien hervorgebracht. Besonders in sehr komplexen, modernen Gesellschaften mit einem hohen Differenzierungsgrad nimmt die Zahl der Bindestrich-Soziologien zu. Gegenstand der speziellen Soziologien sind Forschungen über einzelne oftmals praktisch interessierende Themenbereiche wie Familie, Freizeit, Massenkommunikation, Bildung oder auch Recht, Wirtschaft, Religion, Medizin und Kunst. Dieser Katalog spezieller Soziologien ist beliebig erweiterbar. In engem thematischem Bezug zu einem begrenzten Ausschnitt der Gesellschaft wird das Begriffsinstrumentarium der allgemeinen Soziologie auf die jeweiligen Besonderheiten der speziellen Themenbereiche abgestimmt und erweitert, um dort zu konkreten Erklärungsversuchen zu kommen. Innerhalb der Wirtschaftssoziologie interessieren z. B. die Entwicklungsprozesse der Industriegesellschaft, im Rahmen der Soziologie der Entwicklungsländer steht das Verhältnis kultureller, sozialer, politischer und wirtschaftlicher Kräfte im Vordergrund, und die Familiensoziologie schließlich analysiert den familialen Rollenhaushalt und die Funktion der Familie für die Gesellschaft.

b. Makrosoziologie und Mikrosoziologie

Die Allgemeine Soziologie wird in der Regel noch einmal in Makrosoziologie und Mikrosoziologie untergliedert. Diese Untergliederung geschieht vor dem Hintergrund des Spannungsfeldes Gesellschaft − Individuum, in dem sich die Soziologie bewegt: einerseits macht es die wissenschaftliche Analyse notwendig, das Ganze (die Gesellschaft) in ihre Einzelheiten (Handelnde bzw. Handlungen) zu zerlegen, was aus der mikrosoziologischen Perspektive geschieht. Andererseits sollen auch Aussagen über gesamtgesellschaftliche Ereignisse getroffen werden bzw. über große Einheiten der Gesellschaft.

Makrosoziologisch geht es demnach um die Strukturen und Gesetzmäßigkeiten von Großgebilden oder kollektiven Prozessen. Großgebilde im soziologischen Sinn sind z. B. Verbände, Organisationen, Betriebe, Parteien, Gewerkschaften, Kirchen oder auch staatliche Körperschaften. Ihr gegenseitiges Kräfteverhältnis und ihre internen spezifischen Ordnungsstrukturen stehen im Mittelpunkt makrosoziologischen Interesses.

Die Mikrosoziologie dagegen ist in erster Linie Kleingruppenforschung, die sich auf die Beziehungen und Prozesse in den face-to-face-Verhältnissen wie z. B. Familie und Schulklassen konzentriert. Der mikrosoziologische Ansatz untersucht die Struktur einer Gruppe nach Kriterien wie Integration, Konflikt, Führungsstil, Anpassung, aber auch Solidarität und Identifikation und analysiert die Mechanismen, die z. B. die Gruppendynamik und Kommunikationsvorgänge bestimmen.

Ausgewählte Literatur

Arbeitsgruppe Soziologie 1992: Denkweisen und Grundbegriffe der Soziologie. Eine Einführung, 10. rev. u. erw. Aufl., Frankfurt/Main.

Atteslander, P. 1991: Methoden der empirischen Sozialforschung, 6., erw. Aufl., Berlin/New York.

Berger, P. L. 1982: Einladung zur Soziologie, 3. Aufl., München.

Bernsdorf, W. (Hg.) 1969: Wörterbuch der Soziologie, 2., neubearb. und erw. Ausg., Stuttgart.

Boudon, R. 1973: Strukturalismus – Methode und Kritik, Düsseldorf.

Friedrichs, J. 1991: Methoden empirischer Sozialforschung, 14. Aufl., Opladen.

Hartfiel, G. 1982: Wörterbuch der Soziologie, 3., erg. und überarb. Aufl., Stuttgart.

Kiss, G. 1977: Einführung in die soziologischen Theorien I, 3., verb. Aufl., Opladen/Wiesbaden. Einführung in die soziologischen Theorien II, 3. Aufl., Opladen/Wiesbaden.

König, R. 1973: Handbuch der empirischen Sozialforschung, Bd. 1, 3. Aufl., Stuttgart.

Mayntz, R., K. Holm und P. Hübner 1978: Einführung in die Methoden der empirischen Soziologie, 5. Aufl., Opladen.

Popper, K. R. 1976: Logik der Forschung, 6. Aufl., dt. Erstausgabe 1934 Tübingen.

Prim, R. und H. Tilmann 1989: Grundlagen einer kritisch rationalen Sozialwissenschaft, 6. durchges. Aufl., Heidelberg.

Reimann, H. 1978: Basale Soziologie: Theoretische Modelle, 2., verbess. Aufl., Opladen.

Schnell, R. 1989: Methoden der empirischen Sozialforschung, 2., überarb. u. erw. Aufl., München.

Wallner, E. M. 1975: Soziologie – Einführung in Grundbegriffe und Probleme, 5., neubearb. u. erw. Aufl., Heidelberg.

Weber, M. 1976: Soziologische Grundbegriffe, 3., durchges. Aufl., Tübingen.

Wössner, J. 1974: Soziologie. Einführung und Grundlegung, 5. Aufl., Köln.

Kapitel II
Allgemeine Organisation der wissenschaftlichen Arbeit

1. Die Studienplanung

Im Studium wirken sich die reinen Orientierungsprobleme an der Hochschule und im Fach vielfach semesterverzögernd aus und machen darüber hinaus den einzelnen Studierenden auch unzufrieden. Es ist daher erforderlich, sich gleich zu Anfang grundlegend über den formalen Rahmen und die inhaltlichen Anforderungen des Gesamtstudiums zu informieren.

a) Formale Studienaspekte

Für das Studium jedes Fachs und jeder Fachrichtung gibt es in der Regel eine Studienordnung. Aus ihr gehen die Einteilung in Grund- und Hauptstudium, die Zuordnung von Pflicht-, Wahlpflicht- und Wahlveranstaltungen, vorgeschriebene Studiengebiete, die Zahl der erforderlichen Leistungsnachweise, die Mindeststundenzahl pro Semester etc. hervor. Die Studienordnung legt also den Rahmen fest, in dem das Fachstudium absolviert wird. Sie informiert auch über etwaige Regelstudienzeiten für den gewählten Studiengang an der jeweiligen Hochschule. Die individuelle Studienplanung sollte daher mit der Studienordnung genau abgestimmt und im Falle ihrer Änderung − wenn nötig − modifiziert werden.

Neben der Studienordnung spielt die Prüfungsordnung bei der Gestaltung des Studiums eine wichtige Rolle. Sie regelt die formalen Voraussetzungen für die Meldung zur Prüfung und gibt z. B. Auskunft über vorgeschriebene Semesterzahlen, Prüfungsfristen, beizubringende Dokumente, Anerkennung von Auslandssemestern, Beurlaubungsmöglichkeiten etc.

Es empfiehlt sich daher, sich auch über die Richtlinien der Prüfungsordnung rechtzeitig zu informieren und sie in die Planung des Studiums einzubeziehen.

Daneben ist es nützlich, sich Informationen zu verschaffen über:

- die Fakultätsstruktur in personeller und sachlicher Hinsicht
- Studienberatungseinrichtungen
- Studienführer der Lehrstühle bzw. Fachgebiete
- kommentierte Vorlesungsverzeichnisse der Fachgebiete
- Sprechstunden der Hochschullehrer und in Beratungseinrichtungen
- Muster von Studienplänen, um Anregungen für den eigenen Stundenplan zu erhalten
- Studienordnungen und -möglichkeiten an anderen Hochschulen, um gegebenenfalls die Konsequenzen eines Hochschulwechsels richtig beurteilen zu können.

Im Zuge dieser Groborientierung kann der jeweils neueste »Hochschulführer«, der vom Verband der deutschen Studentenschaften herausgegeben wird, eine praktische Hilfe sein.

b) Inhaltliche Orientierung im Fach

Um im breiten Spektrum der Soziologie Schwerpunkte setzen zu können und sich umfassend über den Gegenstand und die Betrachtungsweise der Soziologie zu informieren, empfiehlt sich:

(1) ein begrenztes Studium Generale zum Studienbeginn. Dazu zählt nicht nur der Besuch soziologischer Veranstaltungen unterschiedlichster Thematiken, sondern auch die Teilnahme an Sitzungen und Vorträgen, die in benachbarten Fächern wie z. B. Pädagogik, politische Wissenschaft, Philosophie, Sozialpsychologie, Betriebswirtschaftslehre, Wirtschaftspolitik bzw. Volkswirtschaftslehre stattfinden und Einsicht in einen erweiterten sozialwissenschaftlichen Hintergrund ermöglichen.

Im Zuge einer solchen zunächst recht breiten Annäherung an das Fach läßt sich schneller erkennen, welche Schwerpunkte im Lehr- und Forschungsbetrieb gesetzt werden, welchen sachlichen Stellenwert oder Bezugsrahmen die Soziologie innerhalb der Sozialwissenschaften hat und wohin das eigene Interesse tendiert.

(2) Der Besuch von Einführungsveranstaltungen und das Studium von Einführungsliteratur. Sie erleichtern es den Studierenden, aus der Vielfalt soziologischer Spezialdisziplinen eigene Interessenschwerpunkte zu bilden (vgl. Kapitel VII, Leseliste: Allgemeine Einführungen).

(3) Die Inanspruchnahme individueller fachlicher Beratung durch die Vertreter verschiedener Einrichtungen der Hochschule, z. B. Professoren, Dozenten, Fachreferenten der Bibliothek etc. Sie dient der generellen Orientierung, der Gestaltung des Anfangsstudiums und der Auswahl von Lehrveranstaltungen.

Die Sprechstunden von Dozenten und Assistenten sind eine institutionelle Einrichtung, um bei Studienproblemen und Anliegen fachlicher Art über Lösungsmöglichkeiten zu sprechen, Abstimmungen herbeizuführen oder Ratschläge einzuholen. Die Einrichtung der Sprechstunde sollte so oft wie möglich genutzt werden, besonders wenn der Verlauf des Studiums inhaltlich, zeitlich und qualitativ erheblich von den eigenen Vorstellungen und Plänen abweicht oder man feststellt, daß die wissenschaftlichen Neigungen auf einem anderen Gebiet liegen. Je früher solche Studienzielkonflikte geklärt werden, um so befriedigender ist der weitere Studienverlauf.

(4) Informationen über Studieninhalte aus studentischer Sicht sind an den meisten Hochschulen über den ASTA (Allgemeiner Studentenausschuß) oder die jeweiligen fachbereichsspezifischen Fachschaften einzuholen. Der Kontakt zu diesen studentischen Gremien kann übrigens auch die soziale Integration an der Hochschule fördern und somit das Studium attraktiver machen.

(5) Die Verschaffung eines Überblicks über soziologische Lehrveranstaltungen an anderen Hochschulen anhand der Vorlesungsverzeichnisse. Die Vorlesungsverzeichnisse der deutschen Hochschulen werden im Regelfall in der Universitätsbibliothek gesammelt und können dort eingesehen

werden. Sie vermitteln einen guten Überblick über die gegenwärtige Lehrsituation, über die fachlichen Schwerpunkte und über die personellen Gegebenheiten.

c) Arbeitsplanung

Eine der wichtigsten Komponenten einer rationellen Lernmethodik ist die Arbeitsplanung. Ohne eine realistische Bestimmung inhaltlicher und zeitlicher Arbeitsziele sowie einer ausgewogenen Formulierung von Leistungszielen in den einzelnen Studienfächern wird nicht nur die Selbstkontrolle, sondern auch der Lernprozeß nachhaltig erschwert. Dies bestätigt in eindrucksvoller Weise das Ergebnis einer Untersuchung (Hasselhorn 1976, S. 59):

	Anzahl der reproduzierten gedanklichen Einheiten	
	beim Lernen nach einem Plan	beim Lernen ohne Plan
Unmittelbare Reproduktion	65,3%	60,9%
Reproduktion nach 10 Tagen	46,4%	26,0%

Die Motivation und der Lernerfolg durch eine Arbeitsplanung liegen in dem Gefühl, ein gestecktes Ziel erreichen zu können, gekoppelt mit der Vorstellung, daß es eine persönliche Leistung gewesen ist. Die Kunst der Planung ist die Fähigkeit, einen Kompromiß zwischen persönlichen Belangen, einer angemessenen Leistungsanspannung und einer erreichbaren Zielsetzung zustandezubringen. Die Arbeitsplanung dient als Instrument, Zeitdruck zu verhindern, Leerlauf und Störungen auszuschalten und die einzelnen Studienschritte sinnvoll aufeinander zu beziehen. Arbeitsplanung heißt folglich nicht, selbst verplant zu werden, sondern sich rechtzeitig auf die Studienanforderungen einzurichten, Prioritäten zu setzen und mit größtmöglicher Arbeitsökonomie die Studienziele zu erreichen.

Folgende Gesichtspunkte sind bei der Arbeitsplanung zu berücksichtigen:

(1) Eine Grundvoraussetzung ist die Differenzierung des Arbeitsziels in abgestufte Phasen. Dies bedeutet z. B., daß der Lernstoff ausgewogen auf die Semester des Grund- und Hauptstudiums verteilt wird und sich nicht zum Prüfungstermin häuft. Die obligatorischen Lernstoffe sollte man daher so gliedern, daß man »am Anfang eine breite Grundlage schafft, aber gegen Ende des Studiums eine konzentrierte Prüfungskombination ansteuert«. (Spandl 1971, S. 3)

(2) Die Arbeitsplanung bedarf der Formulierung von Leistungszielen in den einzelnen Fächern. Leistungsziele können z. B. sein:

> Seminarschein
> Zwischenprüfung
> Übungsnachweis
> Praktikum
> Literaturrecherche
> Literaturstudium
> Klausur usw.

Wichtig ist, daß man sich zu Beginn nicht zuviel vornimmt, da man sonst schnell die Lust verliert, sondern daß man Prioritäten setzt und sich in jedem Semester auf einzelne Schwerpunkte beschränkt.

(3) Um Zeitnot zu verhindern, empfiehlt es sich, mit einem Zeitplan zu arbeiten. Der Zeitplan kann sowohl ein Tagesplan sein, in dem Vorlesungen und sonstige Studien- und Hochschulaktivitäten eingetragen sind, als auch ein Wochenplan, der Termine, Studienzeiten und Veranstaltungen aller Art enthält, und schließlich ein Semester- oder Jahresplan, in dem die vorrangigen Studienziele, Aufgaben und Pläne verzeichnet sind. Die Arbeitsplanung kann also kurzfristig, mittelfristig und langfristig aufgebaut sein.

Als Gedächtnisstütze ist ein übersichtlicher Terminkalender zu empfehlen. In ihn sollten z. B. auch die Terminziele für übernommene Seminararbeiten eingetragen werden.

Die langfristige Arbeitsplanung, die möglichst früh die Gesamtdauer des Studiums einbezieht, sollte weniger eine Sonntagsplanung, eine Planung der guten Vorsätze sein, die man vor sich herzuschieben pflegt, als vielmehr eine strategische Konzeption für das persönliche Studienziel. In sie gehen etwa Gesichtspunkte der Berufsaussichten, des Aufbaustudiums für eine Promotion, des Studienwechsels, des Auslandsstudiums oder auch studienbegleitende Maßnahmen ein. Die langfristige Planung ist eine Leitlinie für die kurz- und mittelfristigen Studienziele. Sie bildet eine Art konstruktive Absichtserklärung zur Gestaltung des Studiums und hilft den einzelnen, aktiv eigene Studienvorhaben zu realisieren und nicht lediglich passiv auf die Studienentwicklung zu reagieren.

2. Mitarbeit in universitären Veranstaltungen

Die wichtigsten Lehrveranstaltungen an Hochschulen sind Vorlesung und Seminar. Mit dem Wandel der didaktischen Zielsetzungen in den letzten Jahren hat jedoch das Seminar gegenüber der Vorlesung die größere Bedeutung erlangt. Hinzu kommen immer häufiger Lehrveranstaltungen in Form von Übungen, die in Ergänzung zu einer Vorlesung oder einem Seminar angeboten werden.

a) Vorlesung

Das Konzept der Vorlesung basiert traditionell auf der reinen Vermittlung von Sachwissen und Lehrmeinungen. Sie besteht im wesentlichen aus einem Vortragsmonolog des Hochschullehrers und der rezeptiven Aufnahme durch das Auditorium. Die Bedeutung der Vorlesung liegt in der komprimierten Darstellung von Basiswissen vor einem sehr großen Zuhörerkreis. Weniger eignet sich diese Veranstaltungsform dazu, sich das Wissen selbständig zu erarbeiten.

Vorbereitung einer Vorlesung. Zwar besitzt die fachliche Vorbereitung der Studierenden in den meisten Fällen Seltenheitswert, doch empfiehlt es sich, sich mit dem jeweils anstehenden Thema vorher vertraut zu machen. Da die Themen der einzelnen Sitzungen aus dem Semesterplan meist bekannt sind, kann man sich entweder in den einschlägigen Wörterbüchern der Soziologie oder aber in den entsprechenden Kapiteln von soziologischen Einführungs- und Fachbüchern unter dem jeweiligen Stichwort informieren. Erst durch eine solche Vorbereitung ist gewährleistet, daß der oft zwangsläufig exemplarisch vorgetragene Stoff richtig eingeordnet und in seinen zentralen Punkten angemessen erfaßt wird.

Mitschrift in einer Vorlesung. Wer mit Gewinn eine Vorlesung besuchen will, sollte weder nur zuhören noch andererseits rein mechanisch und wörtlich mitschreiben. Man wird den größten Lernerfolg verbuchen, wenn man Zuhören und Mitschreiben in ein ausgewogenes Verhältnis zueinander bringt.

Reines Zuhören führt zur raschen Ermüdung und zum Abschweifen der Gedanken, während permanentes Mitschreiben vom Verständnis der Zusammenhänge ablenkt. Entscheidend ist nicht, daß man jede Einzelheit der Vorlesung schwarz auf weiß besitzt, sondern daß man den vorgetragenen Wissensstoff in seinen wichtigsten Punkten so knapp wie nötig aufzeichnet. Das selektive Mitschreiben zwingt zu stärkerer Konzentration und fördert zudem den Lernprozeß.

Der wichtigste Grundsatz für eine Mitschrift lautet daher: Erst hören und die Zusammenhänge verstehen, dann stichpunkt- und thesenartig die zentralen Aspekte und Leitgesichtspunkte notieren.

Schriftlich festhalten sollte man auch die Gliederungspunkte der Vorlesung, Definitionen, allgemeine Folgerungen und Literaturhinweise. Es kann sein, daß man zu einem späteren Zeitpunkt das Vorlesungsthema wieder aufgreift – etwa im Zusammenhang mit den Examensvorbereitungen. Solche Notizen bieten dann einen hilfreichen Einstieg bei der vertiefenden eigenen Bearbeitung des Themas.

Form der Mitschrift. Die selektive Mitschrift sollte von vornherein als Reinschrift oder Letztschrift konzipiert sein, denn es ist unrationell und vom Zeitaufwand her nicht vertretbar, die Vorlesungsaufzeichnungen noch einmal ins Reine zu schreiben. Der wichtigste Formgesichtspunkt der Mitschrift ist ihre Gliederung. Man sollte grundsätzlich für jedes Faktum, jede Definition oder jeden Kerngedanken mit einem neuen Absatz oder einer neuen Zeile beginnen. Zentrale Begriffe werden unterstrichen oder am Rand kenntlich gemacht. Man kann auch sehr anschaulich mit Bezugslinien, Pfeilen, Durchnumerierungen usw. arbeiten, um Zusammenhänge deutlich zu machen. Dabei sollte man aber immer darauf achten, daß die Gliederung sehr aufgelockert und übersichtlich bleibt, so daß man später sofort anhand von Stichpunkten die Gedankenführung der Vorlesung rekonstruieren kann. Zudem hat eine großzügige Form der Beschriftung den Vorteil, daß es später bei der Nacharbeit leichter ist, eventuell wichtige Vermerke einzufügen.

Muster für eine Vorlesungsmitschrift:

Fach Schlagwort Ordnungswort	Seite
Dozent:	Vorlesungsthema
Datum	Thema der Sitzung
Mitschrift	Pers. Bemerkungen, Literaturhinweise, eigene Ideen, Fragen Einwände Probleme etc.

Die Mitschrift sollte im Regelfall auf DIN-A4-Papier vorgenommen werden, möglichst mit einseitiger Beschriftung, um die spätere Ablage und das Nachschlagen zu erleichtern. Wichtig ist es, an der Außenseite des Blattes einen breiten Rand zu lassen, um Raum für besondere Hinweise, Einwände, eigene

Gedanken, weitere Literaturangaben etc. zu lassen. (Hasselhorn 1976, S. 97f).

Auswertung der Vorlesung. Um sich den Stoff einer Vorlesung kritisch anzueignen und sein Wissen darüber zu vertiefen, empfiehlt es sich, die genannte Literatur zum Vorlesungsthema nachzulesen oder auch weiterführende Literatur heranzuziehen.

Besonders gewinnbringend ist es, in einer Arbeitsgruppe den Vorlesungsstoff nachträglich zu diskutieren und auf offen gebliebene Fragen einzugehen und nach Lösungen zu suchen. Dabei lassen sich in die Vorlesungsmitschrift Hinweise, Thesen und Problemstellungen gut einfügen, so daß die ursprüngliche Mitschrift thematisch abgerundet wird.

b) Seminar

Das Konzept des Seminars basiert auf einem Dialog oder einer Diskussion zwischen dem Veranstaltungsleiter und den Seminarteilnehmern. Im Mittelpunkt steht ein ausgewähltes Thema des Faches, das unter der aktiven Mitarbeit der Studierenden aus möglichst vielen Perspektiven erörtert wird. Die Bedeutung des Seminars als anspruchsvollste Form einer Lehrveranstaltung liegt vor allem darin, daß die Studierenden lernen, selbständig an wissenschaftliche Fragestellungen heranzugehen und sie mit den entsprechenden fachspezifischen Verfahren und Terminologien zu behandeln versuchen.

Aufgrund ihrer besonderen Zielsetzung bilden die Seminare die eigentliche Veranstaltungsform für das wissenschaftliche Studium: In ihnen wird die autonome und kritische Auseinandersetzung mit den soziologischen Themen geübt und das notwendige Fachwissen aktiv erarbeitet.

Je nach dem Fortschritt im Studium, nach dem vorausgesetzten Vorwissen und dem daraus resultierenden thematischen Anspruch unterscheidet man zwischen Proseminar (im Grundstudium), Hauptseminar, Oberseminar (im Hauptstudium) und gegebenenfalls Diplomanden- oder Doktorandenseminar. Ihre Form bleibt im wesentlichen gleich; sie unterscheiden sich allenfalls durch das jeweilige Vorwissen und die Anzahl der Seminarteilnehmer.

Vorbereitung eines Seminars. Da im Regelfall die Themen des Seminars und die zu behandelnde Literatur im Semesterplan bekannt gemacht werden, ist eine gezielte fachliche Vorbereitung für die einzelnen Sitzungen möglich und wird erwartet. Mit Hilfe der angegebenen Literatur informiert man sich über das jeweils anstehende Thema und legt sich Fragen, ergänzende Hinweise oder Einwände in Form stichwortartiger Notizen zurecht.

Liegt bereits vor der Sitzung eine schriftliche Ausarbeitung eines Seminarteilnehmers über ein bestimmtes Thema vor, sollte diese Ausarbeitung nicht nur überflogen werden, sondern man sollte sich intensiv und kritisch damit auseinandersetzen. Auch in diesem Fall sind notizartige Vermerke über Verständnisfragen, Problemstellungen etc. angebracht.

Mitwirkung im Seminar. Der Wissensstand der Seminarteilnehmer wird anhand folgender Formen der aktiven Mitarbeit kontrolliert:

> Diskussionsbeiträge
> Diskussionsleitung
> Thesenpapiere
> Referate
> Hausarbeiten
> Sitzungsprotokolle.

Wenn auch heute vielfach durch die Größe der Seminare die aktive Mitarbeit erschwert wird, empfiehlt es sich doch, mit einer eigenen Leistung das Seminar so weit wie möglich aktiv mitzugestalten. Eventuell sollte man von vornherein auf kleinere Seminare ausweichen, in denen eine intensivere Diskussion möglich ist.

Vielfach scheuen sich die Studierenden vor einer aktiven Diskussionsteilnahme aus Unsicherheit oder weil sie fälschlicherweise der Ansicht sind, ihre Gedanken seien unzutreffend, es fehle ihnen an der Kenntnis der einschlägigen Terminologie oder die anderen könnten Sachverhalte besser ausdrücken. Es ist einleuchtend, daß diese Beweggründe den persönlichen Lernerfolg im Seminar stark beeinträchtigen können.

Die geeigneten Mittel, hemmende Vorbehalte zu überwinden, sind:

- Eine möglichst rechtzeitige, gezielte fachliche Vorbereitung auf das Thema. Sachliche Sicherheit gibt auch Sicherheit in der Diskussionssituation.
- Systematische Vorbereitung und Zusammenstellung von einigen Fragen, Einwänden etc., die in der Seminarsitzung vorgetragen werden können.
- Gruppenarbeit mit Kommilitoninnen und Kommilitonen. Auch die Diskussion vor oder nach einer Sitzung über ein Thema nützt dem sachlichen Lernprozeß sowie der Sicherheit im Seminar.
- Sich klarmachen, daß die übrigen Seminarteilnehmer meist die gleichen Verständnisschwierigkeiten und Probleme haben wie man selbst. Leistungs- und Konkurrenzdenken sind in einer Diskussion unangebracht.

Auswertung eines Seminars. Im Prinzip gleicht die Auswertung einer Seminarsitzung der Auswertung einer Vorlesung. Die Seminarauswertung sollte jedoch zusätzlich unter dem Gesichtspunkt durchgeführt werden, daß neue Problemstellungen formuliert werden, die dann gegebenenfalls in der nächsten Sitzung vorgetragen werden. Es empfiehlt sich daher, die Auswertung nicht nur rezeptiv vorzunehmen, sondern aktiv mit eigenen neuen Fragestellungen noch einmal an den Stoff heranzugehen.

c) Übung

Die Veranstaltungsform der Übung entstand parallel zur Entwicklung der sogenannten ›Massenuniversität‹. Übungen werden vor allem im Grundstudium angeboten und haben das Ziel, die in einer Vorlesung oder einem Seminar behandelten Themen nochmals aufzuarbeiten und gleichzeitig – wenn es das jeweilige Thema zuläßt – praktisch zu üben. Übungen haben damit den Vorteil, die Themen der zugehörigen Primärveranstaltungen einmal über eine wiederholte Diskussion und zum anderen über die praktische Umsetzung zu vertiefen.

Der Erfolg einer Übung hängt allerdings im wesentlichen von der Vorbereitung der Studierenden ab. Es empfiehlt sich also vor einer Sitzung, sich mit dem entsprechenden Thema aus der Primärveranstaltung kritisch auseinanderzusetzen.

Besonders beliebt ist diese Veranstaltungsform zur praktischen Vermittlung der Techniken der empirischen Sozialforschung.

In Übungen kann darüber hinaus auch der Umgang mit Klausurfragen trainiert werden, indem themenbezogene, fingierte Prüfungsfragen bearbeitet werden.

d) Tutorium

An einigen Universitäten werden insbesondere für Studienanfänger Arbeitsgemeinschaften durchgeführt, die von Tutoren geleitet werden. Tutoren sind studentische oder wissenschaftliche Mitarbeiter und Mitarbeiterinnen des Lehrkörpers. Die Tutorien dienen dazu, Studierende in kleinen Arbeitsgruppen in die Soziologie und Fragen der empirischen Sozialforschung einzuführen und sie mit den wichtigsten Lektüretechniken vertraut zu machen.

e) Kolloquium

Die Kolloquien unterscheiden sich von Seminaren nur durch ihre breitere thematische Streuung und meist durch eine begrenzte Teilnehmerzahl.

Die in der Regel fortgeschrittenen Teilnehmer eines Kolloquiums haben zumeist annähernd gleiche fachliche Voraussetzungen, so daß eine vertiefte Diskussion ermöglicht wird. In der Form des Doktoranden- oder Forschungskolloquiums stellt es ein geeignetes Forum für Diplomanden, Doktoranden und Habilitanden dar (Spandl 1971, S. 8).

3. Die Gruppenarbeit

Es gibt Studiensituationen, in denen sich die Einzelarbeit bewährt, ebenso wie es Studiensituationen gibt, in denen die Gruppenarbeit Vorzüge hat. Zum Beispiel können Prüfungs- oder Examensvorbereitungen in der Arbeitsgruppe von größerer Effizienz sein, als das einsame Lernen zu Hause oder in der Bibliothek. Die jeweils den größten Gewinn bringende Form hängt von einer Reihe von Faktoren ab, wie z. B. von der persönlichen Entwicklung der Studierenden, der Anpassungsfähigkeit, dem Kooperationswillen, den individuellen Bedürfnissen, Fähigkeiten und Vorkenntnissen und der Einstellung zur Gruppenarbeit.

a) Vorzüge der Gruppenarbeit

Auch wenn man an einen sehr individuellen Arbeitsstil gewöhnt ist, kann es sich als konstruktiv erweisen, die eigene Studienleistung mit Hilfe einer kooperativen Gruppenarbeit zu intensivieren. Die Vorteile der Gruppenarbeit liegen vor allem in folgenden Momenten:

- Wenn mehrere sich mit demselben Thema beschäftigen, verbessert sich die Arbeitsmotivation.
- Die Verpflichtung den Beteiligten gegenüber erhöht die eigene Leistungsbereitschaft.
- Die Kreativität wird durch größere Assoziationsanreize erhöht, wenn Probleme von mehreren Seiten beleuchtet werden.
- Lösungsmöglichkeiten von schwierigen Problemen können ausgetauscht werden. Fehler werden schneller entdeckt und Widersprüche aufgelöst.
- Das eigene Wissen wird kontrolliert. Lücken werden leichter gefunden.
- Man lernt, sachliche und konstruktive Kritik vorzutragen und selbst Kritik entgegenzunehmen.
- Gruppenarbeit befriedigt das Kontaktbedürfnis.

b) Gruppenstärke

Um eine effiziente Gruppenarbeit zu erreichen, sollte die Zahl der Gruppenmitglieder zwischen vier und sechs Personen liegen; dann ist eine intensive Diskussion gewährleistet, ohne daß die Kommunikation zu kompliziert wird und sich die Kommunikationskanäle möglicherweise teilen.[1]

Eine sehr effiziente, fachbezogene Arbeit läßt sich allerdings auch zu zweit durchführen, wenn ein annähernd gleicher Anspruch, gleicher Informationsstand und Zielkongruenz vorliegen.

c) Arbeitstechnik in der Gruppe

In der Arbeitsgruppe sollte möglichst ein reger gegenseitiger Informations- und Gedankenaustausch stattfinden. Die Einwegkommunikation, d. h. referieren, vortragen, monologisieren usw. sollte auf Einzelfälle beschränkt bleiben. Lange Redezeiten sind zu vermeiden.

Der Kommunikationsstil ist in erster Linie sachorientiert, d. h. der personale Bezug des »Sich-Aussprechens« wird dem Sachbezug untergeordnet. Das Sachgespräch hat eine andere Intentionalität als das Persongespräch – es ist formalisierbar und damit lernbar (Geißner 1974, S. 38).[2]

Methode des Brainstorming. Eine der wirksamsten Formen der Gruppenarbeit ist das Brainstorming (Provozieren von spontanen Einfällen). Dabei wird zu einem vorgegebenen Thema frei assoziiert, d. h. daß die Gruppenteilnehmer ungestört und unkorrigiert Fragen, Thesen, Begriffe, Fakten, Einwände formulieren und äußern können. Sämtliche Äußerungen werden unmittelbar auf einer Tafel schriftlich festgehalten, damit sie

---

[1] Das »Quickborner Team«, Institut für Planung und Organisation, stellte fest, daß ein Mensch nur sieben Kommunikationskanäle oder Argumentationsketten verarbeiten kann. Kommt eine achte hinzu, läßt die Konzentration bereits erheblich nach.

[2] Die Techniken des Formalisierens und die der ergebnisorientierten Diskussion werden im Kapitel der Rhetorik dargestellt.

51

nicht verlorengehen und um sie von vornherein als bedeutsam und akzeptabel zu unterstellen. Das Brainstorming dient dem Ziel, gedankliche Hemmungen abzubauen und die Kommunikationsfähigkeit und Kreativität zu stärken. Dabei werden Erfahrungen und Ergebnisse aus der Forschung zur Gruppendynamik verwandt (Bommer 1972, S. 9).

Folgende Punkte sind zu beachten (Bommer 1972, S. 10):

- Organisatorische Anforderungen: aufgelockerte Sitzordnung, Schreibmaterial, Karteikarten, Tafel oder große Fläche zum Aufzeichnen der geäußerten Gedanken.

- Unmittelbar verfügbares Faktenwissen ist auch dann einzubringen, wenn es sich zunächst als nicht relevant erweist. Es kann bei den anderen Teilnehmern als Assoziationsstimulans wirken.

- Ideen, Einfälle und Vorstellungen der Gruppenmitglieder dürfen absolut keiner Reglementierung oder Sanktion unterliegen; während der Brainstormingsitzung findet also keine eigentliche Diskussion statt.

- Der Arbeitsstil ist nicht direkt lösungsorientiert, sondern zunächst problemorientiert, da eine frühzeitige Lösung das Auffinden weiterer Lösungsalternativen erschwert.

- Sachliche Rivalität und geringer Konsensus innerhalb der Gruppe können durchaus fördernd im Hinblick auf innovative Ideen wirken – und nicht etwa hemmend.

- Der Ideenfindungsprozeß ist vom Ideenbewertungsprozeß zu trennen.

- Das Brainstorming darf nicht in einer hierarchisch-autoritär, sondern nur in einer demokratisch-egalitär strukturierten Umgebung durchgeführt werden. Dazu gehört ein sozial-integrativer Führungsstil, der folgende Merkmale voraussetzt (Hasselhorn 1976, S. 134): Gleichberechtigung der Teilnehmer, eher extrovertierte Haltung, Bereitschaft zum Zuhören, Selbständigkeit und Selbstkontrolle der Teilnehmer. Dies führt zur Entspannung, Offenheit, Kooperationsbereitschaft und letztlich sachlich zu folgerichtigen Assoziationsketten.

- Es ist empfehlenswert, Ideen und Vorschläge anderer Teilnehmer aufzugreifen und weiterzudenken, so daß Assoziationsketten entstehen, an denen jeder partizipieren kann.

- Jeder Versuch einer kritischen Wertung sollte während der Brainstormingsitzung vermieden oder aber aufgeschoben werden.
- Die Brainstormingsitzung wird zeitlich begrenzt, um anschließend über alle eingebrachten Ideenvorschläge kritisch, kooperativ und ausführlich diskutieren zu können.

Diskutieren in der Gruppe. Arbeitsthemen sollten gegebenenfalls unter Hinzunahme der Ergebnisse des Brainstorming in der Gruppe diskutiert werden, wobei darauf zu achten ist, daß sich die Gruppenmitglieder sachorientiert aufeinander einspielen.

Als Konzentrationshilfe und Denkanreiz für alle Teilnehmer dient die Methode des Visualisierens. Die wichtigsten Fakten, Probleme, Kernsätze, Zwischenergebnisse und Thesen werden für alle sichtbar auf Tafeln und Karteikarten geschrieben. Die Benutzung von Tafeln oder Karten eignet sich besonders, um den Fortschritt der Diskussion zu dokumentieren, ergebnisorientiert zu argumentieren und eine laufende Information aller zu gewährleisten. Methoden, Fragen und Literaturhinweise werden systematisch erfaßt und vollständig eingegeben. Das Aufschreiben zwingt zur präzisen Ausdrucksweise und entlastet das Gedächtnis. Dadurch ist der Einstieg in die Diskussion leichter zu finden, Gedankengänge können rekonstruiert werden und die Anfertigung von Protokollen erübrigt sich.

Werden Texte vorgelesen, müssen Fremdwörter, Unklarheiten und Fragen sofort geklärt werden.

Im Falle der individuellen Vorbereitung für eine Gruppenarbeit sollten Arbeitspapiere angefertigt werden, in denen Thesen, Fragen und Probleme als Denkanreize aufgeführt werden.

Der Wert der Einzelleistung für die Gruppe liegt primär in der Form ihrer Vermittlung. Sie kann auf zweierlei Art erfolgen:

(1) In Form eines Referates, in dem man sich ausschließlich auf den inhaltlichen Schwerpunkt eines Themas konzentriert. Zeit: etwa 3 bis 5 Minuten. Danach kann in kleineren Ar-

beitsgruppen das Thema systematisch erarbeitet und vertieft werden. In einer anschließenden gemeinsamen Sitzung werden die Arbeitsergebnisse wieder integriert.

(2) Eine alternative Vermittlungsform besteht darin, daß zunächst in kleineren Arbeitsgruppen zu einem vorgegebenen Thema Thesen und Ergebnisse zusammengestellt und dann dem Gruppenplenum vorgetragen werden. Erst im Anschluß daran wird das Referat gehalten, um die problemorientierte Diskussion abzurunden und zusätzliche Fakten einzubeziehen. Nach jeder Gruppensitzung sollte eine Ergebnisdiskussion stattfinden, um den Zusammenhang zwischen dem Erarbeiteten und der Zielsetzung der Gruppe herzustellen. Die Ergebnisse können als Basis für die Weiterführung der Arbeit dienen.

d) Probleme der Gruppenarbeit

Das größte Problem ist meist die unterschiedliche Beteiligung der Gruppenmitglieder. Es ist erforderlich, sich gegenseitig zu akzeptieren und die persönlichen Erwartungen der einzelnen zu berücksichtigen. Erst dann kann man gemeinsame Zielvorstellungen entwickeln und es ist möglich, jeden einzelnen in den Arbeitsprozeß der Gruppe zu integrieren. Es empfiehlt sich daher, aktive Toleranz gegenüber allen Beiträgen zu üben, sanktionierende Wertungen zu unterlassen und unsichere Teilnehmer in ihrer Argumentation zu ermutigen, um eine engagierte Mitarbeit aller zu erreichen.

Ein zweites Problem ist der unbefriedigende Verlauf mancher Gruppensitzung. Vielfach redet man an der Sache und aneinander vorbei. Die Gruppenmitglieder streifen mit ihren Beiträgen lediglich die Peripherie des Problems – oder noch häufiger: umkreisen einen peripheren Gesichtspunkt und erzeugen dort »Spiralnebel«. In vielen Argumentationsversuchen wird dabei vom Hundertsten ins Tausendste von der eigentlichen Thematik wegdiskutiert (Geißner 1974, S. 39). Die Folgen sind mangelnder Konsens, Resignation und ergebnislose Klärungsversuche der Fragen.

Um eine auf das thematische Zentrum zielende Diskussionslage herzustellen, empfiehlt sich ein pragmatischer Ansatz der rhetorischen Gliederungstechnik: Ansatzpunkt, Denklinie, Ergebnissatz.[1] Dieses Gerüst erleichtert die sach- und zielorientierte Diskussionsentwicklung in der Gruppenarbeit.

4. Worauf sollte man achten, wenn man ein Buch liest?

Im Zusammenhang mit der wissenschaftlichen Literaturauswertung stellen sich in der Regel zwei Probleme:

(1) Ob ein Buch gelesen und ausgewertet wird (Auswahl des soziologischen Materials). Bei der Fülle von Publikationen und der begrenzt zur Verfügung stehenden Lesezeit ist ohnehin nur ein exemplarisches Lesen noch möglich. Das macht die richtige Beantwortung dieser Frage besonders wichtig. Sie kann auch die Entscheidung beinhalten, ob ein wissenschaftliches Buch gekauft wird oder nicht.

(2) Wie ein Buch gelesen und ausgewertet wird (eigentliche technische Literaturauswertung) (vgl. Abschnitt 6).

Bevor man ein Lehrbuch systematisch studiert, ist es nützlich, sich vorab einen Überblick über einige Aspekte zu verschaffen. Dabei ist es weniger entscheidend, vollständigen Aufschluß über jeden der Gesichtspunkte zu erhalten, als vielmehr durch auszugsweises Lesen und Festhalten einiger Daten Stellenwert und Gehalt eines Buches in etwa angemessen beurteilen zu können (Hasselhorn 1976, S. 83).

(1) Autor:
   – Welche fachliche Bedeutung hat der Verfasser?
   – Gilt er auf seinem Spezialgebiet als Autorität?
   – Vertritt er eine bestimmte Wissenschaftsrichtung; gehört er einer bestimmten »Schule« an?
   – Welche weiteren Publikationen hat er veröffentlicht?

---

[1] Dieser Ansatz in seinen verschiedenen Varianten wird im Kapitel »Rhetorik« vorgestellt.

(2) Erscheinungsjahr:
- Kommt dem Buch grundsätzliches, historisches oder aktuelles Interesse zu?

(3) Auflage:
- In welcher Auflage liegt das Buch vor?

Eine hohe Auflage weist auf einen offensichtlichen Erfolg des Buches hin.

»Überarbeitete Auflage« bedeutet, daß Fehler berichtigt und der Inhalt neuen Erkenntnissen angepaßt worden ist.

»Völlig neu bearbeitete Auflage« heißt, daß ein seit längerem bewährtes Buch inhaltlich neu bearbeitet und meistens erweitert worden ist.

(4) Inhaltsverzeichnis:
- Welche sachlichen Schwerpunkte sind zu erkennen?

(5) Literaturverzeichnis:
- Welche anderen Publikationen hat der Verfasser verarbeitet?
- Sind bekannte und wichtig erscheinende Publikationen aufgeführt?
- Welche Publikationen welcher Autoren wurden verarbeitet?
- Sind Neuerscheinungen verwendet worden?

(6) Register:
- Welche Autoren werden im Personenregister zitiert und gegebenenfalls kritisch kommentiert?
- Gibt das Sachregister zusätzliche Informationen über inhaltliche Schwerpunkte? (Eventuell den Text zu ausgewählten Schlagworten lesen und prüfen.)

(7) Einleitung:
Aus der Einleitung lassen sich möglicherweise Hinweise auf folgende Fragen entnehmen:
Welcher Stand der Forschung wird berücksichtigt?
- Abgrenzung des Themas
- Bedeutung des Themas
- Ziel der Arbeit
- angewandte Methodik
- Überblick über den Inhalt

(8) Zusammenfassung, Abstract, Schluß:
  – Welche Ergebnisse, Hypothesen, werden präsentiert?
  – Auf welche ungelösten Probleme bietet der Verfasser einen Ausblick?
(9) Auszugsweises Lesen:
  – Zwei oder drei Passagen eines Buches lesen, um Gedankenführung und Argumentationsstil des Autors kennenzulernen.

Wenn man in dieser systematischen Form an soziologische Literatur herangeht, wird man schnell und rationell einen ersten Überblick über das vorliegende Material erhalten. Dadurch wird die Entscheidung für oder gegen das Studium eines Buches erleichtert.

Auch für den Fall, daß man von einem gründlichen Durcharbeiten absieht, empfiehlt es sich, einige Ergebnisse der Vorprüfung auf Karteikarten zu notieren, um auch später schnell die Bedeutung des Buches für die individuellen Studienbelange absehen zu können.

5. Lesetechniken

Wenn man sich für die Lektüre eines Buches entschieden hat, empfiehlt es sich zunächst, analog zur Vorentscheidung, ob überhaupt ein Buch zu lesen ist, die »Zutaten« des Textes anzuschauen, sich also Verfasser, Kapiteleinteilung, Register, Einleitung usw. zu vergegenwärtigen.

Jedes wissenschaftliche Werk bietet prinzipiell schon durch seine Formalia und seinen Aufbau beachtliche Aufschlüsse über seinen Gehalt.

Es kann auch durchaus nützlich sein, zuerst das Schlußkapitel oder die Zusammenfassung zu lesen, um den wissenschaftstheoretischen Rahmen abzustecken.

Zur Rationalisierung des Lesevorgangs kann man sich verschiedener Methoden bedienen.

a) Kursorisches oder diagonales Lesen

Man unterzieht den Lesestoff einer inhaltlichen Prüfung, indem man gezielt aus dem Inhaltsverzeichnis und den Kapitelüberschriften jene Abschnitte heraussucht und liest, die für die eigenen Belange besonders wertvoll erscheinen.

Um sich auf das Wesentliche zu beschränken, versucht man, seine Aufmerksamkeit ausschließlich auf die zentralen Schlüsselbegriffe einer Buchseite zu konzentrieren und daran in groben Umrissen das gedankliche Konzept des Verfassers zu erkennen (Spandl 1971, S. 20).

Die Aufgabe des kursorischen Lesens liegt darin, einen ersten Überblick über den Inhalt eines Abschnittes oder Kapitels zu erhalten.

b) Studierendes Lesen

Die Technik des studierenden Lesens ist die gründliche, vertiefende Erarbeitung eines Textes. Ihr Zweck ist die systematische Aufnahme und das gründliche Verständnis des Wissensstoffes.

Dazu dienen in erster Linie Lesekontrollen. Abschnittweise sollte man eine inhaltliche Rückschau vornehmen und sich Klarheit verschaffen, worin die Problemstellung des soeben Gelesenen besteht. Es gehört zur Kunst und Übung des studierenden Lesens, dabei die wichtigen Gesichtspunkte von den unwichtigen zu unterscheiden. Am zweckmäßigsten geht man so vor, daß man den Stoff eines Absatzes gedanklich so verdichtet, daß sich aus ihm eine bezeichnende These oder ein typisches Schlagwort ableiten läßt. Dieser Orientierungsbegriff wird in einem Exzerpt notiert oder direkt im Buch kenntlich gemacht. Dabei empfiehlt es sich, immer wieder Schlüsselfragen an den Text zu stellen, etwa:

– Was besagt die Textstelle?
– Was ist das wesentliche Ergebnis?
– Wie kommt der Verfasser zu diesem oder jenem Befund?
– Welchen Standort hat der Verfasser?
– Wie definiert er die Begriffe?

– Wie sind die Erkenntnisse des Verfassers in einem größeren theoretischen Rahmen zu werten?

Diese Fragen dienen dem Ziel, immer wieder das Wesentliche vom Unwesentlichen zu trennen, inhaltliche Prioritäten zu setzen, den vorliegenden Text für die eigenen Belange gründlich auszuwerten und den gesamten Inhalt eines Buches in einen sachlichen Gesamtzusammenhang einordnen zu können. Das Studium eines soziologischen Textes ist daher erst gewinnbringend, wenn er mit Hilfe selbst gestellter Klärungs- und Erläuterungsfragen sowie mit Hilfe von selbst erarbeiteten Thesen und Orientierungsbegriffen systematisch vor ein wissenschaftliches Raster gestellt wird.

Zum studierenden Lesen gehört der Gebrauch des Bleistiftes und des Farbstiftes, wenn das Buch Eigentum des Studenten ist. Es ist nützlich, bestimmte Kernpunkte, gedankliche Verknüpfungen und grundsätzliche Folgerungen hervorzuheben, um sie bei Bedarf schnell wiederzufinden. Dabei ist der Versuchung zu widerstehen, zu viel, zu stark und zu kompliziert anzustreichen, um zu verhindern, daß letzten Endes die gesamte Buchseite ein farbiges Blatt Papier von Strichen und Symbolen bildet.

Immer mit dem Grundsatz, sich ausschließlich auf wichtige Gesichtspunkte zu konzentrieren, empfiehlt es sich, beim Lesen folgende Merk- und Arbeitszeichen am Rand oder im Text anzubringen. Im Laufe der Zeit wird jeder hierfür seine ganz individuelle Symbolik für solche Arbeitszeichen finden und anwenden, so daß folgende Symbolbeispiele nur als Anregung zu verstehen sind:

> I = wichtig
> II = sehr wichtig
> ⟨ = fraglich/lehne ich ab
> ? = nicht (voll) verstanden
> D = Definition
> E = Ergebnis/Kerngedanke

Neben der Verwendung von Symbolen im Text sollte im Rahmen des studierenden Lesens auch eine technische Literaturauswertung erfolgen, deren Hilfsmittel Literaturkurzangaben oder Exzerpte sind (vgl. Abschnitt 6).

c) Dynamisches Lesen

Unter dem dynamischen Lesen versteht man eine spezielle Lesetechnik, die – in entsprechenden Fachkursen trainiert – zu einer Verdoppelung der Lesegeschwindigkeit führt, ohne daß sie die Aufnahmefähigkeit beeinträchtigen soll.

Dabei machen sich z. B. die amerikanischen Trainingsmethoden wie das »Speed Reading« die menschliche Eigenschaft zunutze, daß das visuelle Aufnahmevermögen (mit den Augen) etwa zehnmal größer ist als das auditive (mit den Ohren) (Spandl 1971, S. 22). Während ein ungeübter Leser ca. 130 bis 150 Wörter pro Minute liest, ein geübter Leser ca. 250 bis 300 Wörter durchschnittlich schafft, bringt es ein im räumlichen Sehen und dynamischen Lesen trainierter Leser auf 600 bis 1000 Wörter pro Minute.

Dabei ist allerdings zu berücksichtigen, daß sich diese Lesetechnik im wissenschaftlichen Bereich allenfalls für das kursorische Lesen eignet, nicht dagegen für das studierende Lesen.

6. Technische Materialauswertung in der Soziologie

Die »technische« Literatur- bzw. Materialauswertung dient einem doppelten Ziel:

(1) Literatur und anderes Studienmaterial systematisch auszuwerten, aufzubereiten und zu dokumentieren;
(2) dokumentiertes und gesammeltes Material für die verschiedenen Studienerfordernisse auffindbar und damit auch für die spätere Studienpraxis nutzbar zu machen.

Dadurch werden im Verlauf des Studiums nicht nur Arbeitsschwierigkeiten leichter bewältigt, die Studierenden arbeiten auch entschieden rationeller. Ein zentraler Grundsatz der Literaturauswertung lautet, daß man schon am Studienbeginn mit dem Sammeln von fachlichem Material beginnen sollte. Meist wird man dann nach kurzer Zeit feststellen, daß sich das Verständnis für ein bestimmtes Themengebiet erst aus diesen höchst unterschiedlichen Unterlagen, Mitschriften und Abhandlungen erschließen läßt.

Ein weiterer Grundsatz lautet: Stoffsammlung sollte stets mit Stoffauswertung verbunden sein. Alles Studienmaterial, das man erhält und liest, sollte von vornherein unter dem Gesichtspunkt der Wiederverwendung auffindbar gemacht werden. Nur so erhält man sich langfristig den Überblick und die spätere Verwertungsmöglichkeit seiner Literatur und Unterlagen.

Die persönliche Material- und Informationssammlung kann von Studienbeginn an nach folgender einfacher Strategie angelegt werden: Ordnen, Registrieren, inhaltlich Erschließen.

Im einzelnen sind folgende Schritte erforderlich, die sich allerdings je nach persönlichem Arbeitsstil vereinfachen oder noch verfeinern lassen:

a) Ordnung des schriftlichen Materials

Zunächst ist das Studienmaterial auf kurz- oder langfristige Dokumentierwürdigkeit zu prüfen. Anschließend wird das Material – dazu gehören z. B. alle Aufzeichnungen, Mitschriften, Kopien, Hausarbeiten, bibliographische Notizen, aber auch Zeitschriftenaufsätze, Sonderdrucke, Artikel usw. – geordnet nach Thema (z. B. Seminarthema), Schlagwort (z. B. Macht) oder Fachdisziplin (z. B. Familiensoziologie) in entsprechend gekennzeichneten Aktenordnern abgelegt. Als Vorstufe reicht ein Ablegen in gesonderten Mappen.

Neben den Schnellheftern lassen sich je nach Gewöhnung auch Karteitaschen oder Hängemappen verwenden, die in Schreibtischschubladen mit entsprechender Vorrichtung eingehängt werden können.

Schriftliches Material, das ausschließlich für einen begrenzten Studienzweck Bedeutung hat, wird themenspezifisch und chronologisch in Schnell- oder Klarsichtheftern abgelegt.

Langfristig dokumentierwürdiges Material sollte grundsätzlich in Aktenordnern abgelegt werden. Neben den Aktenordnern eignen sich auch farbige Kästen, die halbseitig offen sind und besonders der Sammlung von Manuskripten, Sonderdrukken, Zeitschriften etc. dienen. Man sollte es sich angewöhnen, eigene schriftliche Aufzeichnungen, wie z. B. Mitschriften, Inhaltsangaben, Hausarbeiten etc. auf einheitlichem Papierformat wie DIN-A4-Blättern oder Ringbuchpapier anzufertigen.

b) Registrieren und Katalogisieren der Unterlagen

Dazu sind folgende Maßnahmen empfehlenswert:

- Das nach Themen, Fächern, Schlagworten oder Verfassern vorgeordnete und in Aktenordnern oder Heftern abgelegte Studienmaterial wird zweckmäßigerweise mittels eines voranliegenden Blattes in Form eines Inhaltsverzeichnisses registriert.

- Zur Wahrung einer einheitlichen Systematik werden die Mappen, Ordner oder Kästen durchnumeriert oder beschriftet.

- Anschließend wird das dokumentierwürdige Material katalogisiert. Hinweise auf das Material und auf seine Quellen werden auf Karteikarten erfaßt. Dazu gehört auch, daß auf den Karteikarten angegeben wird, in welchem Aktenordner das Material zu finden ist.

Aufbau einer Studienkartei. Die Studienkartei wird angelegt, um im Verlauf des Studiums den Überblick über das gesammelte Material zu erhalten und möglichst einen jederzeitigen Zugriff zu den nötigen Informationen zu sichern – seien sie nun thematischer oder bibliographischer Art.

Der Hauptzweck der Kartei besteht darin, das Gedächtnis zu entlasten und schnell und zuverlässig auf Quellennachweise und Wissensfakten zurückgreifen zu können. Die Arbeit mit ihr fördert das literaturbewußte Studieren, da das gesamte Studienmaterial, das man in die Hand nimmt, stets unter dem Gesichtspunkt der weiteren Verwertbarkeit betrachtet wird.

Die Studienkartei, so sehr sie im Einzelfall den besonderen Belangen angepaßt werden kann, wird nach Fächern, Themen, Schlagworten oder Verfassern aufgebaut; ein einfaches Ordnungssystem reicht völlig aus. Sie enthält komprimierte, exakte Hinweise auf eigenes Material, auf zur Verfügung stehendes Fremdmaterial, auf sonstige Literatur sowie gegebenenfalls

Aufzeichnungen von Definitionen oder eigenen Gedankenführungen.

Wichtig ist, daß man gleich zu Studienbeginn, am besten parallel mit der Sammlung des soziologischen Fachmaterials, mit der Einrichtung der Studienkartei anfängt.

Eine notwendige Direktive beim Aufbau einer Studienkartei lautet, daß man klein, aber gezielt beginnt und erst im Verlauf des Studiums das Dokumentationssystem ausweitet.

Je nach Bedarf kann man verschiedene Karteien anlegen und beliebig tief untergliedern. Normalerweise reicht eine fachbezogene Studienkartei für das gesamte Studium. Zusätzlich kommt gegebenenfalls noch für bestimmte Studiensituationen die themenbezogene Arbeitskartei in Frage.

Die Arbeitskartei legt man für spezielle Zwecke, wie z. B. Diplomarbeit, Magisterarbeit oder Dissertation an. Sie dient dazu, die gesamte heranzuziehende und gegebenenfalls im Literaturverzeichnis zu berücksichtigende Literatur alphabetisch nach Autoren zu erfassen und zu ordnen. Ferner enthält sie eine Sachinformationssammlung, die sich z. B. nach den Gliederungspunkten des Inhaltsverzeichnisses orientieren kann.

Grundsätzlich empfiehlt es sich, alle wissenschaftlichen Arbeiten und Manuskripte, die man in Händen hat und die sich als dokumentierwürdig erweisen, in die Kartei aufzunehmen. Dazu gehören auch Sonderdrucke, Exzerpte, Vorlesungs- und Seminaraufzeichnungen, Diskussionsnotizen (mit Quelle, Datum, Ort, Thema) usw.; ebenfalls bibliographische Angaben und Titelkurznotizen, die im Hinblick auf ein bestimmtes Thema von Bedeutung sind oder für bestimmte Studienzwecke einmal wichtig werden können.

Am Anfang des Aufbaus einer Studienkartei steht die Frage nach der Klassifikation und dem Ordnungssystem. Ordnung und Aufbau hängen letztlich vom Zweck ab, den eine Studienkartei erfüllen soll. Je übersichtlicher ein einmal gewähltes System ist, um so geringer ist der Suchaufwand und um so umfassender die Materialauswertung.

Für Studienzwecke reicht ein alphabetisches Index-Verfahren, das die private Kartei entweder nach Sachgesichtspunkten

(Schlagworte, Themen, Fachgebiete) oder nach Autoren ordnet. Es besteht, falls erforderlich, auch die Möglichkeit, sowohl eine Sach- als auch eine Autorenkartei anzulegen, die dann getrennt geführt werden.

Aufbau einer Autorenkartei. Das alphabetische Ordnungssystem ist gebräuchlich für die Autorenkartei. Der jeweilige Autor wird auf eine Leitkarte geschrieben, hinter der die eigentlichen (Kartei-)Informationskarten folgen (z. B. eine Autorenbibliographie).

Aufbau einer Sachkartei. Auch für die Sachkartei bietet sich das alphabetische Ordnungssystem an, da es übersichtlich und einfach zu handhaben ist. Oberbegriffe, Themen oder Schlagwörter werden auf Leitkarten geschrieben und nach dem Alphabet abgestellt. Hinter den Leitkarten sammelt man die entsprechenden Informationsträger.

Eine Alternative zur alphabetischen Ordnung ist das Dezimalsystem, das z. B. auch der Wissenschaftssystematik an deutschen Hochschulen zugrunde liegt.

Ein für die privaten Belange geeignetes System sähe etwa so aus:

1.   Allgemeine Soziologie
1.1.   Kommunikation
1.1.1. face-to-face-Kommunikation
1.1.2. Massenkommunikation
1.2.   Rollen
1.3.   Schichtung
1.4.   Werte

2.   Familiensoziologie
2.1.   Kleinfamilie
2.2.   Paarbeziehungen etc.

3.   Empirische Sozialforschung
3.1.   Auswahlverfahren
3.2.   Datenerhebungstechniken etc.

Innerhalb der einzelnen Unterabteilungen herrscht dann wieder die alphabetische Ordnung.

Manchmal kommt es vor, daß eine bestimmte Publikation oder sonstiges Studienmaterial nicht eindeutig einem Oberbegriff zuzuordnen ist. In solchen Fällen verfährt man am besten so, daß man das Schriftstück unter dem Oberbegriff katalogisiert, der noch am ehesten geeignet erscheint, und bei den anderen in Frage kommenden Schlagworten eine Karte mit einem entsprechenden Verweis auf die Fundstelle hinterläßt. Ähnlich verfährt man, wenn eine Publikation mehrere Verfasser hat. Dann wird das Buch bei jedem Verfasser aufgeführt. Ohnehin empfiehlt es sich, stark mit Verweisen in seiner Studienkartei zu arbeiten, um inhaltlichen und bibliographischen Zusammenhängen Rechnung zu tragen.

Formale Regeln beim Karteiaufbau

(1) Als Format für Karteikarten erscheint die Größe DIN A6 (Postkartenformat) am geeignetsten. Sie ist groß genug, alle wichtigen Daten zu erfassen, ohne unübersichtlich zu werden oder zuviel Platz zu beanspruchen.

Seltener werden in der Studienpraxis Karteien in der Größe DIN A5 oder DIN A7 verwendet. Die Formatgröße DIN A5 empfiehlt sich dann, wenn z. B. Exzerpte oder eigene inhaltliche Ausführungen direkt in einer Kartei abgestellt werden sollen.

(2) Die Übersichtlichkeit einer Studienkartei wird erhöht, wenn man für die einzelnen Oberbegriffe und Themengebiete unterschiedliche Farben wählt.

Die farbliche Differenzierung kann auch verwendet werden, um Autoren- und Sachkartei zu unterscheiden oder um bibliographische Angaben und persönliche Anmerkungen zu trennen.

(3) Die Karteikarten, die hinter der Leitkarte abgestellt werden, können nach folgenden Prinzipien geordnet werden:
   – alphabetisch (nach Schlagworten oder Autoren)
   – chronologisch
   – oder einfach mit Positions-Nummern durchnumeriert.

Das letzte Verfahren hat den Vorteil, daß der Verlust einer Karte schnell bemerkt und die Wiedereinordnung erleichtert wird. Die Positionsnummer wird, wo erforderlich und machbar, auch auf dem den Karteikarten zugrundeliegenden Material verzeichnet.

Vollständigkeit und Zuverlässigkeit der Angaben, sachliche Aufschlüsselung, Querverweise, Zusatzinformationen etc. steigern die Effizienz der Arbeit mit der Kartei. Grundsätzlich gilt, daß jeder zu einem Ordnungssystem finden muß, das seinen individuellen Belangen am ehesten Rechnung trägt.

Beispiel einer Karteikarte für eine Studienkartei Soziologie:

Ordnungswort		Positions-Nr.
Oberbegriff	Datum der	
Schlagwort	Anlage der Karte	
Bibliographische Angaben des Buches		
Standort (falls Bibliothek, Signatur Nr.)		
Text z. B.		
Stichworte zum Inhalt		
Ergebnisse		
Methode		
Hinweise auf Besonderheiten (z. B. gute Bibliographie)		
Wertung des Textes, Beurteilung		
Verweis auf anderes Material oder Karteikarten		

c) Die inhaltliche Erschließung

Die inhaltliche Erschließung von soziologischem Studienmaterial ist die eigentliche Hauptaufgabe der Literaturauswertung.

Für die persönliche Informationssammlung, die sich jeder Studierende im Laufe seines Studiums anlegt, ist es notwendig, die soziologische Fachliteratur nach übersichtlicher und einheitlicher Form zu bearbeiten. Dadurch gewöhnt man sich daran, jeden Text unter bestimmten Ordnungsgesichtspunkten und im

Hinblick auf einen bestimmten Erkenntniszweck zu lesen und zu studieren. Die mögliche künftige Wiederverwertung des Textes im Verlaufe des Studiums wird durch diese Vorgehensweise erleichtert und oft erst ermöglicht.

Die inhaltliche Erschließung kann auf verschiedene Weise geschehen:

Die Literaturangabe oder Titelkurzbeschreibung. Diese knappste Form der inhaltlichen Erschließung bezeichnet Verfasser, Titel, Erscheinungsort und -jahr der Literatur oder des Materials, das man aus Gründen der späteren Wiederverwendung erfaßt.

Über die rein bibliographischen Angaben hinaus sind einige zentrale Stichwörter und Thesen als besondere Gesichtspunkte herauszuheben, um jederzeit den Bezugsrahmen und den Erkenntniszweck des Materials klar zu erkennen. Diese Stichworte sind z. B. dem Inhaltsverzeichnis und der Einleitung oder Vorbemerkung eines wissenschaftlichen Werkes zu entnehmen.

Der Vorteil dieser Form der Literaturauswertung liegt in der relativ leichten Erstellung und schnellen Katalogisierung. Sie wird als Unterlage insbesondere dann angefertigt, wenn man ein bestimmtes Buch oder Schriftstück gesehen hat, aber für einen späteren Studienzweck zurückstellen möchte. Diese Art der unspezifischen Literaturauswertung findet am häufigsten statt.

Die Literaturangabe und Titelkurzbeschreibung erfolgt auf Karteikarten, die in der Studienkartei abgestellt werden. Zusätzlich können folgende Angaben aufgenommen werden:
- Ordnungswort (Schlagwort, Thema, Fach)
- Fundort (Standort in der Bibliothek)
- Stichworte, Thesen, sonstige Angaben.

Das Exzerpt. Das Exzerpt ist der individuell angefertigte Auszug aus einer wissenschaftlichen Publikation.

Sein Zweck ist es, Stoff zu einem bestimmten Thema zu gewinnen. Dabei wird jenes Material aus einem Buch herausgeholt, das zur Bearbeitung einer besonderen Aufgabe benötigt wird. Der Inhalt eines Exzerptes stellt stets den spezifischen Extrakt aus einer Schrift dar, den ein Student im Hinblick auf ein gestelltes Thema herausfiltert. Exzerpte beschränken sich daher auf Teilfragen und umfassen meist wörtlich zitierte Einzelsätze oder auch längere, eventuell sogar mehrere Seiten umfassende Passagen.

Die Exzerpierungsarbeit bildet also im Prinzip eine Selektionsarbeit, d. h. ein Buch oder Manuskript wird unter dem Gesichtspunkt einer bestimmten Fragestellung durchgearbeitet. Sachinformationen, Problemstellungen, aber auch Ansichten des Verfassers, die zur Bearbeitung einer Frage- und Themenstellung nützlich erscheinen, werden herausgesucht und – unterteilt in Sinnabschnitte – im Exzerpt niedergeschrieben.

Im Zuge der Erstellung einer umfassenden Haus- oder Prüfungsarbeit fertigt man meist mehrere Exzerpte aus verschiedenen Büchern an, um auch kontrastierende Forschungsergebnisse, Meinungen und theoretische Problemstellungen klar vor sich zu haben und vergleichen zu können.

Der Ertrag der Exzerpierungsarbeit fließt in der Regel in die eigene schriftliche Darstellung ein (Möller 1967, S. 25).

Das Verfahren zur Erstellung von Exzerpten ist rationell, wenn folgende Punkte berücksichtigt werden:

– Vernachlässigung aller Gesichtspunkte, die für das gestellte Thema ohne Bedeutung sind. Dazu gehört auch der Mut, Lücken zu lassen und sich auf das Wesentliche im Studium eines Textes zu konzentrieren.

– Zu jedem herausgeschriebenen Sinnabschnitt und Zitat sollte ein Überschriftsstichwort, Ordnungswort oder allgemeiner Gliederungsbegriff aufgeführt werden. Dieses Vorgehen erleichtert nicht nur die spätere Verwertbarkeit des Exzerptes, sondern ermöglicht erst, verschiedene Exzerpte auch vergleichen, zusammenfassen und kommentieren zu können.

– Jeder Sinnabschnitt oder jedes Zitat eines Exzerptes sollte nicht nur mit der exakten Quellenangabe (Seitenzahl) des Haupttextes, sondern möglichst auch mit einem Hinweis auf die spätere Verwertung versehen werden.

– Grundsatz des Lose-Blatt-Systems: Exzerpte werden auf einseitig beschriebenen Blättern verfaßt, um gegebenenfalls später einzelne Seiten austauschen zu können. Die jeweiligen

Sinnabschnitte sollten durch eine entsprechend großzügige Gliederungspraxis auch äußerlich kenntlich gemacht werden, um die spätere Verwendung zu erleichtern.

– Zwischen den Sinnabschnitten sollte ausreichend Platz bleiben, um eventuelle Ergänzungen später einfügen zu können. Letztere sollten jedoch unter Angabe des Datums möglichst deutlich kenntlich gemacht werden.

Exzerpte gehen nicht wie Literaturangaben oder Titelkurzbeschreibungen direkt in eine Kartei ein, sondern werden den entsprechenden Themengebieten zugeordnet und in den jeweiligen Aktenordnern abgelegt.

Allerdings können sie mittelbar Aufnahme in die Studienkartei finden, wenn jedes angefertigte Exzerpt auf einer mit ihr korrespondierenden Karteikarte erfaßt wird.

Folgendes Muster eignet sich zur Anfertigung von Exzerpten:

Ordnungswort	Datum	Blatt Nr.
Bibliographische Angaben des Buches		

Text mit Angaben von
     Gliederungsworten
     und Überschriften
     sowie Seitenzahl
     des Haupttextes		

Eigener Kommentar, Wertung		
Verweis auf weitere Literatur		

Ausgewählte Literatur

Bommer, J. 1972: Brainstorming, Morphologie, Scenario, Delphi-Conference – Methoden zur Bewertung von Entscheidungsmöglichkeiten und Erstellung von Prognosen, Vorlesungsmanuskript, in: Seminar Systemtechnik II, hg. vom Brennpunkt Systemtechnik, Berlin.

Eco, U. 1991: Wie man eine wissenschaftliche Abschlußarbeit schreibt, 4., überarb. Aufl., Heidelberg.

Geißner, H. 1974: Zum Fünfsatz, in: Rhetorik in der Schule, hg. von J. Dyck, Kronberg/Ts., S. 32 ff.

Hasselhorn, M. (Hg.) 1976: Wirkungsvoller lernen und arbeiten, Heidelberg.

Krämer, W. 1992: Wie schreibe ich eine Seminar-, Examens- und Diplomarbeit, Stuttgart.

Kunz, Arnim 1986: Der Weg zum erfolgreichen Studium: Studenten lernen Studieren – Organisation und Methoden geistiger Arbeit, Heidelberg.

Möller, G. 1967: Auch das Lernen will gelernt sein, Berlin (Ost).

Rückrim, Georg 1990: Die Technik des wissenschaftlichen Arbeitens, 6. Aufl., Paderborn.

Theisen, Manuel R. 1990: Wissenschaftliches Arbeiten: Technik, Methodik, Form, 4. überarb. u. akt. Aufl., München.

Spandl, O. P. 1971: Die Organisation der wissenschaftlichen Arbeit, Braunschweig.

Studien- und Arbeitstechniken, Hg.: Studienberatung der Fakultät für PPP, Universität Bielefeld (überarb. hektograph. Manuskript) 1975.

Kapitel III
Wie findet man soziologische Literatur?

1. Arten von Literatur

In Hochschule und Wissenschaft ist das Buch der unentbehrliche Träger und Vermittler der Forschungsergebnisse. Ohne Veröffentlichungen in Büchern, Zeitschriften und Zeitungen ist wissenschaftliche Arbeit nicht denkbar und die Weitergabe von Gedanken zwischen Forschern, Lehrenden und Lernenden unmöglich.

Voraussetzung für systematisches Arbeiten ist daher, daß man die wichtigsten Publikationsorgane seines Faches kennt und daß man weiß, wo zu Themen, Autoren und Problembereichen geeignete Literatur zu finden ist. Dies schließt auch ein, daß man mit den wichtigsten bibliographischen Hilfsmitteln umgehen kann.

Prinzipiell unterscheidet man folgende Arten von Schrifttum:
1. Primärliteratur
2. Sekundärliteratur
3. allgemeine Auskunftsmittel
4. Dokumente verschiedenster Art
5. Literaturauskunftsmittel (Bibliographien)

Primärliteratur. Primärliteratur ist das fachliche oder wissenschaftliche Originalschrifttum. Hierunter zählen Fachbücher und Lehrbücher, Aufsätze und Artikel in wissenschaftlichen Fachzeitschriften. Aber auch die sogenannte »graue« Literatur, z. B. Kongreßunterlagen, Arbeitspapiere und Institutsveröffentlichungen, die nicht im Buchhandel erscheinen, wird dazugerechnet, sowie das Kleinschrifttum von Firmen, Behörden, Verbänden und Organisationen etc.

Bei einer Arbeit über − nehmen wir einmal an − »Das wirtschaftliche Denken von Adam Smith« bilden die Bücher von Adam Smith den Gegenstand, und sind somit Primärliteratur.

Sekundärliteratur. Sekundärliteratur ist die wissenschaftliche und kritische Literatur zum und über Originalschrifttum. Sie umfaßt Interpretationen, Untersuchungen über die Wirkungsgeschichte des Originalschrifttums, kritische Würdigungen sowie Auseinandersetzungen mit den Primärtexten. Die Sekundärliteratur bildet die Hilfsmittel zu den Primärquellen. Im oben genannten Beispiel wären dann alle Bücher bzw. Texte über Adam Smith und seine Schriften Hilfsmittel, also Sekundärliteratur.

In der Soziologie und allgemein in den Sozialwissenschaften sind Primär- und Sekundärliteratur nicht immer voneinander unterscheidbar. Wäre zum Beispiel das Thema »Die Ursprünge des wirtschaftlichen Denkens von Adam Smith«, dann wären Primärquellen jene Bücher oder Schriften, aus denen Smith seine Anregungen entnommen hat.

Demnach sind Originalarbeiten zu neuen Betrachtungsweisen ebenso wie empirische Untersuchungen vorrangig dem Primärschrifttum zuzuordnen.

Monographien sind dagegen eher der Sekundärliteratur zuzurechnen. Als Monographie bezeichnet man die resümierende Darstellung eines begrenzten Themas oder Fachgebietes. In den Monographien werden die bisherigen Erkenntnisse zu bestimmten Problemstellungen zusammengefaßt, wobei verschiedene theoretische Standpunkte in noch strittigen Fragen einander gegenübergestellt werden.

Allgemeine Auskunftsmittel. Zu den allgemeinen Auskunftsmitteln zählen:
- Enzyklopädien
- Lexika
- Handbücher
- Wörterbücher
- Adreßbücher von Organisationen und Forschungsinstitutionen
- Abkürzungsverzeichnisse
- Personennachweise etc.

(Die für die Soziologie relevanten allgemeinen Auskunftsmittel sind im Nachschlageteil im Anschluß an dieses Kapitel aufgeführt.)

Dokumente verschiedenster Art. Häufig gibt es noch keine geschriebenen Quellen, sondern die Texte, die in eine Arbeit aufgenommen werden, müssen die Quellen selbst werden. Bei einer Arbeit über die »rechtsradikalen Ausschreitungen in Rostock vom August 1992« zum Beispiel können dies Statistiken sein, Protokolle von Interviews, vielleicht auch Photographien oder audiovisuelle Aufzeichnungen. (Eco 1991, S. 64)

Literaturauskunftsmittel. Um sich in der Fülle der Literatur zurechtzufinden, gibt es spezielle Hilfsmittel, die die Fachliteratur der Soziologie und der anderen Sozialwissenschaften nach bestimmten Gesichtspunkten ordnen und dokumentieren. Diese Verzeichnisse heißen Bibliographien.

Unter Bibliographie versteht man zweierlei. Zum einen ist Bibliographie die Lehre von den Bücher- und Literaturverzeichnissen (Bücherkunde), d. h. die Beschreibungstechnik von Veröffentlichungen durch Angabe von Verfasser, Titel, Bandnummer, Erscheinungsort und -jahr, gegebenenfalls des Verlags und der Seitenzahl bei Zeitschriftenaufsätzen.

Zum anderen ist in einem engeren Sinn eine Bibliographie auch das gedruckte Bücherverzeichnis selbst, d. h. ein nach bestimmten Regeln und Anforderungen aufgebautes Schrifttumsverzeichnis.

Je nach Art der Bucherfassung unterscheidet man zwischen analytischer und kritischer Bibliographie. Wird der Inhalt durch eine kurze Inhaltsangabe aufgeschlüsselt, handelt es sich um eine analytische Bibliographie. Ist dagegen mit der Aufnahme der kennzeichnenden Daten zugleich eine Wertung des Schrifttums verbunden, handelt es sich um eine kritische Bibliographie.

2. Aufbau und Benutzbarkeit von Bibliographien

Bibliographien können nach verschiedenen Gesichtspunkten aufgebaut sein:

(1) *nach dem Allgemeinheitsgrad.* Man unterscheidet 1. Allgemein- oder Universalbibliographien, sie umfassen alle publizierten Werke unabhängig von Form oder Inhalt, z. B. Nationalbibliographien, die das gesamte gedruckte Schrifttum eines Landes oder einer Sprache verzeichnen; 2. Fachbibliographien, sie umfassen die Publikationen eines Fachgebietes; dazu gehören auch die Personalbibliographien, d. h. das Verzeichnis von Literatur über einzelne Personen; 3. Spezialbibliographien, sie sind die Bibliographien von einem Spezialgebiet innerhalb eines Fachgebietes. Allgemeinbibliographien sind meist nach Verfassern geordnet, Fach- und Spezialbibliographien systematisch unterteilt.

(2) *nach dem Erschließungsbereich.* Man unterscheidet internationale, nationale, regionale und lokale Bibliographien.

(3) *nach dem Grad der inhaltlichen Erschließung.* Es gibt Titelbibliographien, die lediglich die formalen Hauptdaten der Werke festhalten; daneben annotierte Bibliographien, die zusätzlich kurze inhaltliche Informationen geben; schließlich referierende Bibliographien, die ausführlichere inhaltliche Informationen enthalten und Fortschrittsberichte. Fortschrittsberichte bringen Literaturinformationen im Zusammenhang.

(4) *nach dem Beobachtungszeitraum.* Retrospektive oder abgeschlossene Bibliographien fassen das Schrifttum für einen zurückliegenden Zeitraum zusammen. Periodische oder laufende Bibliographien werden ständig ergänzt und auf den neuesten Stand gebracht.

(5) *nach dem Grad der Vollständigkeit.* Vollständige Bibliographien erfassen das gesamte Schrifttum zu einem Gebiet oder Thema. Auswahlbibliographien gehen selektiv nach verschiedenen Prinzipien vor, z. B. nach Fachgebiet, Sprachraum, Zeitraum etc.

(6) *nach der Erscheinungsart.* Es gibt selbständig erscheinende

(offene) Bibliographien und unselbständig erscheinende (versteckte) Bibliographien, die z. B. im Anhang von Fachbüchern, Handbüchern, Zeitschriftenaufsätzen usw. gedruckt werden. Üblicherweise sind selbständig erscheinende Bibliographien sachlich aufgebaut (als Fachsystematik) oder mit alphabetischer Schlagwortanordnung. In der Regel ist auch ein Autorenregister enthalten.

(7) nach der *Anlageform.* Bibliographien können alphabetisch nach Autoren angelegt sein, z. B. die National- oder die Personalbibliographie. Sie können nach systematischen Gesichtspunkten (Stichworten) aufgrund eines bestimmten Klassifikationsschemas geordnet sein, z. B. die Fachbibliographie. Sie können auch chronologisch nach Erscheinungsdatum der Veröffentlichungen angelegt sein. Daneben gibt es auch Mischformen und Kombinationen verschiedener Anlageformen.

(8) nach dem *Verwendungszweck.* Es lassen sich z. B. wissenschaftliche, buchhändlerische und bibliophile Arten unterscheiden. Eine Buchhandelsbibliographie ist das Verzeichnis lieferbarer Bücher (VLB), das alle derzeit von Verlagen lieferbaren Publikationen nach einem Autor-Titelalphabet verzeichnet.

(9) nach der *Art der Veröffentlichung.* Diesen Typus repräsentieren die Formalbibliographien. Sie weisen z. B. Hochschulschriften, Kongreßberichte, Rezensionen und Zeitschriftenaufsätze nach.

Allen Bibliographien gemeinsam ist der Gesichtspunkt der systematischen Erfassung des Schrifttums. Darin unterscheiden sie sich von Literaturverzeichnissen, die im Anschluß an Hausarbeiten, Referate, Bücher etc. aufgeführt sind. Das Literaturverzeichnis ist meist eine individuelle willkürliche Schrifttumsauswahl, das die im Text zitierte Literatur erfaßt und nicht den Anspruch erhebt, die gesamte Literatur zu diesem Thema zu verzeichnen.

Fachbibliographien. Fachbibliographien verzeichnen Literatur nach Fachdisziplinen und Spezialthemen. Sie haben neben den Katalogen für die Literatursuche und Literaturbeschaffung die größte Bedeutung, da sich in ihnen am leichtesten systematisch Material zu einer bestimmten Fragestellung finden läßt.

Den Zugang zu den Fachbibliographien verschafft am besten der *»Totok-Weitzel«*, ein Handbuch der bibliographischen Nachschlagewerke (vgl. Kap. Auskunfts- und Hilfsmittel in der Soziologie, Bibliographie der Bibliographien), der in der Regel in allen Universitätsbibliotheken ausliegt.

Zeitschriftenbibliographie/Rezensionsbibliographie. Eine für alle Studierenden wichtige Formalbibliographie ist die internationale Inhaltsbibliographie der Zeitschriftenliteratur, der sogenannte »Dietrich«, der in Deutschland halbjährlich unter dem Titel »Internationale Bibliographie der Zeitschriftenliteratur aus allen Gebieten des Wissens« (IBZ) erscheint, und über das Bibliotheksrechenzentrum für Niedersachsen in Göttingen auch als Online-Version zugänglich ist. Fachzeitschriften berichten regelmäßig über aktuelle Forschungsergebnisse, bilden ein Forum zur Diskussion theoretischer und empirischer Fragestellungen und enthalten oft aufschlußreiche Rezensionen über neu erschienene Bücher.

Der »Dietrich« wertet ca. 8000 deutsch- und fremdsprachige Zeitschriften (Periodika) aus und bietet daher ein außerordentliches Hilfsmittel zur Entdeckung von Fachschrifttum. Sach- und Autorenregister ermöglichen einen schnellen Zugriff zu wichtigen und aktuellen Zeitschriftentiteln.

Der »Dietrich« ist in drei Abteilungen gegliedert:

Abt. A: Bibliographie der deutschen Zeitschriftenliteratur

Abt. B: Bibliographie der fremdsprachigen Zeitschriftenliteratur

Abt. C: Bibliographie der Rezensionen

Die Bibliographie der Rezensionen bietet einen guten Überblick über Interpretationen und Stellungnahmen zu wissenschaftlichen Publikationen und erleichtert den Studierenden

den Einstieg in eine kritische Auseinandersetzung mit dem Fachschrifttum.

Eine weitere internationale Zeitschriftenbibliographie, die eine Auswahl der weltweit erscheinenden Periodika beinhaltet, ist »Ulrich's International Periodicals Directory«, die jährlich erscheint und als CD-ROM-Ausgabe »Ulrich's Plus« mit vierteljährlicher Aktualisierung erhältlich ist.

Laufende Bibliographien von Zeitschriftentiteln, die in einem bestimmten Land erscheinen, sind meist Teil der Nationalbibliographie zugeordnet; in Deutschland ist es das »Periodika-Fünfjahresverzeichnis« der Deutschen Nationalbibliothek in Berlin.

Für ältere Zeitschriften gibt es retrospektive Verzeichnisse, z. B. Kirchner: Bibliographie der Zeitschriften des deutschen Sprachgebietes bis 1900. (Hacker 1992, S. 376f.)

Hochschulschriftenverzeichnisse. Einen besonderen Stellenwert unter den Formalbibliographien nimmt das Hochschulschriftenverzeichnis ein. In ihm sind alle wissenschaftlichen Arbeiten zusammengefaßt, die von Angehörigen der Universität erstellt worden sind, namentlich Dissertationen und Habilitationsschriften. Der Nutzen eines Dissertationsverzeichnisses liegt darin, daß es bei der Themenwahl und Erstellung einer Hochschularbeit Hinweise darauf gibt, ob ähnliche Arbeiten bereits existieren. Zudem enthalten Dissertationen manchmal wertvolle wissenschaftliche Ergebnisse, Literaturhinweise und Anregungen zur Gestaltung einer Arbeit (Spandl 1971, S. 37). Die Dissertationen sind aufgeführt im »Jahresverzeichnis der deutschen Hochschulschriften«.

Bibliographien der Bibliographien. Eine Sonderform bibliographischer Dokumentation ist die Bibliographie der Bibliographien. Im Laufe der Zeit sind zu den verschiedensten Themen und Fächern von vielen Wissenschaftlern und Instituten spezifische Schrifttumsverzeichnisse erstellt worden. Um sie nutzen zu können, ist es wichtig, diese Schrifttumsverzeichnisse selbst wieder zu erfassen, zu ordnen und zusammenzustellen.

In der Bibliographie der Bibliographien finden die Studierenden für ihr spezielles Fachgebiet Zusammenstellungen davon, in welchen Publikationen offene oder versteckte Schrifttumsverzeichnisse, z. B. für bestimmte soziologische Themen, enthalten sind. Im praktischen Anwendungsfall führt also der Weg von einer Bibliographie der Bibliographien über die Fach- und Spezialbibliographien zu den dort verzeichneten einzelnen Schriften, die man zur Stoffsammlung einer wissenschaftlichen Arbeit benötigt.

Die bedeutendste Bibliographie der Bibliographien ist der »Totok-Weitzel« (vgl. den bibliographischen Nachschlageteil in diesem Kapitel).

3. Quellen soziologischen Materials

Aufgrund des Gegenstands und entsprechend den unterschiedlichen, vielfältigen Methoden und Techniken der Soziologie ist auch das Material, auf das sich theoretische Analysen und empirische Untersuchungen stützen, sehr heterogen.

a) Nicht-wissenschaftliches Schrifttum

Nicht nur nach wissenschaftlichen Prinzipien erstelltes Schrifttum ist für die Arbeit der Sozialwissenschaftler relevant. Interessant und wichtig können auch schriftliche Verlautbarungen, Berichte, Protokolle, Programme etc. von gesellschaftlich wichtigen Gruppen und Repräsentanten für die soziologische Analyse sein.

Zu solchen Materialien gehört beispielsweise das berichterstattende Schrifttum von Behörden, Verbänden, Gewerkschaften und Organisationen, von Handels- und Wirtschaftskammern, Firmen, Parteien, Parlamenten und Ministerien, Printmedien sowie Rundfunk- und Fernsehanstalten.

Besonders wichtig sind in diesem Zusammenhang:
- Bundestagsdrucksachen. Den Vertrieb besorgt Dr. Hans Heger, 53105 Bonn-Bad Godesberg.
- Informationen der Bundesregierung, die erhältlich sind über

das Presse- und Informationsamt der Bundesregierung, 53105 Bonn-Bad Godesberg
- Landtagsdrucksachen
- Informationen der Ministerien, die angefordert werden können über die Pressereferate bzw. die Referate für Öffentlichkeitsarbeit der Ministerien
- Informationen der Parteien, Parteiprogramme, Parteizeitungen
- Schrifttum von Großorganisationen (Kirchen, internationale Organisationen etc.)
- Mitteilungsblätter, z. B. von Vereinigungen, Verbänden.

Sie dienen weniger der Gewinnung von empirischen Daten, sondern liefern in erster Linie Anhaltspunkte zur Feststellung und Erforschung sozialer Gruppierungen, Meinungen, gesellschaftlicher Tendenzen, sozialer Mentalitäten etc.

b) Erhebungsmaterial, empirisches Material

Grundlage für soziologische Untersuchungen ist in der Regel empirisches Erhebungsmaterial. Dies wird in der Bundesrepublik Deutschland von rein universitären Instituten, Universitäten angeschlossenen Forschungsstätten, sonstigen öffentlichen oder auch privatwirtschaftlich orientierten Instituten erhoben, zusammengestellt und ausgewertet.

Folgende Institute haben besondere Bedeutung für wissenschaftliche Erhebungen in der Soziologie:
- *Statistisches Bundesamt,* 65180 Wiesbaden, sowie die Statistischen Landesämter.
  Eine sehr wichtige Quelle von Daten für die verschiedensten Bereiche der Soziologie ist das »Statistische Jahrbuch für die Bundesrepublik Deutschland«, das seit 1952 jährlich vom Statistischen Bundesamt herausgegeben wird. Weiteres wichtiges Material des Statistischen Bundesamtes sind die Ergebnisse von Mikrozensus-Erhebungen.
  Amtliche Statistiken werden auch erstellt von Bundesministerien, Bundesbehörden, Städten, Gemeinden, der Bundesbank etc.

Die statistische Zentralbehörde in Österreich ist das »Statistische Zentralamt« in Wien und in der Schweiz das »Eidgenössische Statistische Amt« in Bern.

- *Universitäten angeschlossene Institute.*

Mit Gründung der GESIS (Gesellschaft Sozialwissenschaftlicher Infrastruktureinrichtungen) sind 1986 drei Institute unter einem Dach zusammengefaßt worden:

Das *Zentralarchiv für Empirische Sozialforschung der Universität Köln,* Bachemer Str. 40, 50931 Köln, sammelt die Daten von Umfragen und Erhebungen aus verschiedensten Bereichen der Sozialwissenschaften und stellt sie zum Teil für Sekundärauswertungen zur Verfügung.

Wenn man wissen möchte, ob zu einem bestimmten Thema bereits empirisches Erhebungsmaterial existiert, stellt man am besten eine Deskriptorenliste zusammen und schickt sie an das Zentralarchiv. Deskriptoren sind Stichworte, Schlagworte oder Gliederungsgesichtspunkte zu einem bestimmten Thema. Je genauer die Deskriptorenliste, um so präziser ist die Auskunft des Zentralarchivs.

Das IZ (*Informationszentrum Sozialwissenschaften* in Lennestr. 30, 53113 Bonn) als Informations- und Dokumentationseinrichtung von empirischen Untersuchungen mit einer Zweigstelle: IZ, Abteilung Berlin, Schiffbauerdamm 19, 10117 Berlin.

ZUMA (*Zentrum für Umfragen, Methoden und Analysen* in B 2,1, Postfach 12 21 55, 68072 Mannheim), das selbst Untersuchungen – oft zusammen mit anderen Instituten – durchführt und sich die wissenschaftliche Weiterentwicklung der empirischen Sozialforschung zur Aufgabe gemacht hat, v. a. was die Sozialindikatorenforschung betrifft. ZUMA gibt Informationen über nahezu alle Bereiche der empirischen Forschung. Ihm angeschlossen ist die *»Forschungsgruppe Wahlen«,* die für die Erarbeitung des Polit- und Eurobarometers zuständig ist.

Ist man an empirischen Daten übernationaler Art interessiert, so wendet man sich am besten an das MZES *(Mannheimer Zentrum für Europäische Sozialforschung).* Das MZES verfolgt im Rahmen des Consortium für Sociological Research die soziologische Forschung in Europa sowie eine verstärkte Kooperation zwischen den europäischen Forschungszentren. (MZES, Steubenstr. 46, 68163 Mannheim.)

Die obengenannten Institute arbeiten häufig mit anderen Instituten wie ASI *(Arbeitsgemeinschaft Sozialwissenschaftlicher Institute)* oder ADM *(Arbeitskreis Deutscher Marktforschungsinstitute)* zusammen. Außerdem sind bei fast allen Instituten Informations- oder Datenübertragungen per »online« möglich.

- *Private Forschungsinstitute.*
  Umfassendes empirisches Material mit Auswertungen und Analysen liegt auch von einer Reihe von außeruniversitären Instituten vor, die auf Anfrage Informationen erteilen. Auszugsweise seien folgende Institute genannt:
  - Institut für angewandte Sozialwissenschaft (infas), Bonn-Bad Godesberg
  - Infratest, München
  - Institut für Demoskopie Allensbach, Allensbach am Bodensee
  - GETAS, Bremen
  - Wirtschafts- und Sozialwissenschaftliches Institut des Deutschen Gewerkschaftsbundes, Düsseldorf.
  - Gießener Institut für Wirtschafts- und Sozialforschung
  - EMNID, Institut für Markt-, Meinungs- und Sozialforschung, Bielefeld
  - Institut für Arbeitsmarkt- und Berufsforschung, Nürnberg
  - Marplan-Institut, Offenbach

c) Nachweise laufender Forschung

Nachweise laufender Forschung werden in erster Linie im Informationszentrum Sozialwissenschaften (IZ) in Bonn geführt (Lennéstr. 30, 53113 Bonn 1). Das Informationszentrum ist die zentrale Informations- und Dokumentationseinrichtung im Bereich Sozialwissenschaften und bietet allen Interessenten ein breitgefächertes Angebot fachbezogener Auskunftsdienste über abgeschlossene oder laufende Forschungsprojekte. Auskunftsdienste, die sich auf osteuropäische Forschungsinteressen erstrecken, übernimmt das IZ in Berlin (Schiffbauerdamm 19, 10117 Berlin), das den sozialwissenschaftlichen Forschungsaustausch mit Osteuropa fördert.

Auf eine individuelle Anfrage hin erhält man relevante Forschungsnachweise mit Angaben über Titel, Inhalt, forschende Institution, Bearbeiter, methodisches Vorgehen, Laufzeit, gegebenenfalls Ergebnisse sowie Veröffentlichungen aus dem Projekt.

Ferner veröffentlicht das Informationszentrum Sozialwissenschaften jährlich einen Band »Forschungsarbeiten in den Sozialwissenschaften«, in dem in Form einer Titelliste sämtliche im jeweiligen Berichtsjahr erfaßten Forschungsprojekte verzeichnet sind. Personen-, Sach- und ein geographisches Register machen diesen Band zu einem Nachschlagewerk, das als Arbeits- und Orientierungsgrundlage dient. Auf Anfrage verschickt das IZ Informationsmaterial.

Interessante Hinweise des Zentralarchivs für empirische Sozialforschung in Köln sowie des Zentrums für Umfragen, Methoden und Analysen in Mannheim, erfährt man aus den ZA-Informationen bzw. ZUMA-Nachrichten, die jeweils im Mai und November eines Jahres erscheinen und Interessenten kostenlos zugeschickt werden.

Als Serviceeinrichtung für Informationen jeglicher Art im Zusammenhang europäischer Forschungsarbeiten gilt das MZES (Mannheimer Zentrum für Europäische Sozialforschung).

4. Fundorte soziologischer Literatur – Bibliotheken und Büchereien

Im Regelfall ist soziologische und sozialwissenschaftliche Literatur über die am Ort befindlichen und zugänglichen Bibliotheken zu beschaffen.

Verschiedene Bibliotheksarten sind von ihren Funktionen her zu unterscheiden:

Öffentliche Allgemeinbibliothek. Diesen Typus vertreten Gemeinde- und Stadtbibliothek, Landes- und Staatsbibliothek. Ihr Bestand umfaßt hauptsächlich allgemeinbildende Sachliteratur (Stadtbibliothek), berufsbildende Fachliteratur, »schöne« Literatur und wissenschaftliche Literatur.

Das Angebot richtet sich nach den Bedürfnissen und Interessen eines unspezifisch interessierten Publikums.

Landes- und Staatsbibliothek sind meist unabhängig von der Zuordnung zu einer Universität und dienen vor allem den wissenschaftlichen Bedürfnissen eines breiteren Publikums.

Interessant für Sozialwissenschaftler sind die *Bibliotheken der Amerikahäuser*. Ihr Bestand setzt sich fast ausschließlich aus amerikanischen Fachbüchern und Zeitschriften zusammen. Amerikahäuser gibt es in Berlin, Frankfurt, Hamburg, Köln, München und Stuttgart.

Nationalbibliothek. Ihre Bedeutung liegt darin, daß sie das nationale Schrifttum eines Staates vollständig, das ausländische Schrifttum in erheblichem Umfang sammelt, erschließt und bereitstellt. Eine solche Nationalbibliothek gibt es in Deutschland nicht. Es nehmen in Deutschland mehrere große Bibliotheken von nationaler Bedeutung gemeinsam die Funktionen einer umfassenden Nationalbibliothek wahr. In Deutschland erfüllt die »Deutsche Bibliothek« Teilaufgaben einer Nationalbibliothek, nämlich die Sammlung und Verzeichnung des nationalen Schrifttums. Die Deutsche Bibliothek ist Archivbibliothek und bibliographisches Zentrum für die deutschsprachige Literatur. Es werden hier die in Deutschland erschienenen Publikationen und die im Ausland erschienenen deutschsprachigen Veröffentlichungen in der »Deutschen Nationalbibliographie« (DNB) verzeichnet.

Folgende Einrichtungen an drei Standorten bilden nach dem Beitritt der ostdeutschen Länder zur Bundesrepublik seit 1991 die Gesamtinstitution »Die Deutsche Bibliothek«:
– die Deutsche Bücherei in Leipzig,
– die Deutsche Bibliothek in Frankfurt a. M.,
– das Deutsche Musikarchiv in Berlin.

Die deutschen Verleger sind verpflichtet, von den veröffentlichten Druckwerken je ein Exemplar an die Deutsche Bücherei in Leipzig und die Deutsche Bibliothek in Frankfurt a. M. abzuliefern. Die im Ausland erscheinenden deutschsprachigen Werke werden nach wie vor durch freiwillige Ablieferung der Verlage, ersatzweise durch Kauf erworben. Die Sammlung der in Deutschland erscheinenden Musikalien und Musiktonträger erfolgt durch Pflichtablieferung der Neuerscheinungen an das Deutsche Musikarchiv in Berlin. (Hacker, 1992, S. 26ff.)

Die Deutsche Bibliothek unterhält eine Auskunftsabteilung, die auf Anforderung allen Interessierten bibliographische Angaben mitteilt (Deutsche Bibliothek, Zeppelinallee 8, 60325 Frankfurt/Main).

Bibliographische Auskünfte erteilt auch die Auskunftsstelle der *Deutschen Bücherei*, Deutscher Platz 1, 04103 Leipzig. Die *Deutsche Bücherei in Leipzig* entspricht nach Aufgaben und Funktionen der Deutschen Bibliothek in Frankfurt.

Daneben gibt es in Berlin die *Staatsbibliothek Preußischer Kulturbesitz*. Sie geht auf die ehemalige Preußische Staatsbibliothek zurück, deren Bestände während des Zweiten Weltkrieges zum großen Teil nach Westdeutschland gelangten und nach 1945 zunächst in Marburg/Lahn und Tübingen aufbewahrt worden waren. Heute dient die Staatsbibliothek Preußischer Kulturbesitz als wissenschaftliche Universalbibliothek der überregionalen Literatur- und Informationsversorgung des In- und Auslandes. Sie ist Trägerinstitution für wichtige bibliothekarische Unternehmen (Verzeichnisse und Kataloge). Der besondere Schwerpunkt liegt auf der Sammlung wissenschaftlicher Literatur des Auslands, besonders Zeitschriften und Zeitungen. (Staatsbibliothek Preußischer Kulturbesitz, Potsdamer Str. 33, 10785 Berlin).

Spezialbibliotheken. Sie sind nicht immer für jedermann zugänglich, sondern meist nur für Angehörige bestimmter Institutionen. Oft sind sie fachlich spezialisiert.
Zu den Spezialbibliotheken gehören vor allem:
− Parlamentsbibliotheken (in Bonn und in den Landeshaupt-

städten sowie den Stadtstaaten der Bundesrepublik). Sie sammeln hauptsächlich juristische und politische Literatur.
- Behördenbibliotheken mit juristischer und Verwaltungsliteratur
- Gerichtsbibliotheken mit juristischen Beständen
- Bibliotheken der Kulturinstitute wie Museen, Archive etc.
- Firmenbibliotheken, Bibliotheken von Organisationen, Verbänden, Kammern etc.

Bibliotheken der Bildungseinrichtungen. Allgemeine, wissenschaftliche und fachwissenschaftliche Literatur findet sich entsprechend dem Bedarf von Studierenden in den Bibliotheken der Fachhochschulen, der Hochschulen und der Universitäten. In den Neugründungen (Gesamthochschulen) ist zumeist ein einheitliches zentrales Bibliothekssystem ohne Institutsbibliotheken eingeführt.

Die großen deutschen wissenschaftlichen Bibliotheken haben mit Unterstützung der Deutschen Forschungsgemeinschaft (DFG) ein System von *Sondersammelgebieten* geschaffen. Eine Reihe von wissenschaftlichen Bibliotheken beschafft und sammelt für je ein fachliches Spezialgebiet die erscheinende in- und ausländische Literatur. Sondersammelgebiete gibt es z. B. für:
- Sozialwissenschaften an der Universitäts- und Stadtbibliothek Köln
- Politik, Friedensforschung, Verwaltungswissenschaften an der Staats- und Universitätsbibliothek Hamburg
- Betriebswirtschaft an der Universitätsbibliothek Köln
- Volkswirtschaft und Weltwirtschaft an der Zentralbibliothek der Wirtschaftswissenschaften Kiel
- Psychologie an der Universitätsbibliothek Saarbrücken
- Pädagogik an der Universitätsbibliothek Erlangen
- Kommunalwissenschaften an der Senatsbibliothek Berlin
- Allgemeine und vergleichende Völkerkunde an der Stadt- und Universitätsbibliothek Frankfurt (Hacker 1991, S. 145 ff.).

5. Das System wissenschaftlicher Bibliotheken

a) Bibliotheksstruktur

Wissenschaftliche Bibliotheken (Universitätsbibliotheken) sammeln wissenschaftliches und wissenschaftlich verwertbares Schrifttum, bereiten es bibliographisch auf, d. h. erfassen in systematischer Weise die Daten, durch die der Zugriff darauf ermöglicht wird, und verleihen es im Rahmen des Benutzungssystems wieder.

Zu unterscheiden ist zwischen der *Präsenz-* und der *Ausleihbibliothek*.

Aus der Präsenzbibliothek dürfen Bücher nicht nach Hause mitgenommen werden. Alle Bestände werden »präsent« gehalten und dürfen nur im Lesesaal oder in den Bibliotheksarbeitsräumen gelesen werden. Instituts- und Spezialbibliotheken sind meist Präsenzbibliotheken.

Die Ausleihbibliothek bietet den Vorteil, daß ihre Bestände für die Benutzung außerhalb der Bibliothek und ihrer Öffnungszeiten mitgenommen werden können. Von der Ausleihe ausgeschlossen sind jedoch meist Handbücher, Sammelwerke, Nachschlagewerke, Bibliographien, Loseblattsammlungen und laufende (ungebundene) Zeitschriftenhefte.

Ein weiteres Unterscheidungsmerkmal von Universitätsbibliotheken ist die Art des Aufbaus.

In *Freihandbibliotheken* oder offenen Bibliotheken sind die Buchbestände für die Benutzer frei zugänglich aufgestellt. Gewünschte Titel müssen vom Benutzer selbst herausgesucht und können dann eingesehen und entliehen werden. Besonders wertvolles Material oder Raritäten sind aber meist vom freien Zugang ausgeschlossen.

In *geschlossenen Bibliotheken* oder *Magazinbibliotheken* werden die Bestände in Magazinen aufbewahrt, zu denen die Benutzer keinen Zutritt haben. Benötigte Literatur muß mit einem Leihschein bestellt werden. Hat die Bibliothek eine Sofortausleihe, kann der Besteller das gewünschte Buch – falls es nicht anderweitig verliehen ist – nach einer kurzen Wartefrist gleich mitnehmen.

b) Benutzungsstellen wissenschaftlicher Bibliotheken

Wenn man schon über eine Literaturzusammenstellung verfügt, so geht man natürlich zum Autorenkatalog und informiert sich, was in der Bibliothek zur Verfügung steht. Nichtvorhandenes sucht man sich dann in anderen Bibliotheken zusammen. Der Normalfall ist jedoch eher, daß man in eine Bibliothek geht, um zu einem bestimmten Thema eine Literaturliste zu erstellen, also etwas zu suchen, von dem man noch nichts weiß. Und um zu finden, was man noch nicht kennt, bieten die Bibliotheken in Form von sogenannten Katalogen eine Reihe von Hilfen an. (Eco 1991, S. 74f.)

Kataloge. Die wichtigsten Instrumente zur Erschließung der Bestände einer Bibliothek sind die Kataloge. Zusammen mit den Literaturauskunftsmitteln einer UB befinden sie sich entweder in einem separaten Raum oder im Lesesaal. Der Hauptkatalog ist der alphabetische Katalog (AK); daneben gibt es den Sachkatalog (SK). Beide dienen dem Nachweis des in der Bibliothek vorhandenen Buchbestandes.

Lehrbuchsammlung, Zeitschriftenlesesaal, Lesesaal etc. haben meist noch einmal eigene Kataloge, in denen nur die dort aufgestellten Bestände zusammengefaßt sind.

Der *alphabetische oder Formalkatalog* (AK) ordnet das selbständig erschienene Schrifttum nach der alphabetischen Reihenfolge der Verfasser oder ersatzweise der Sachtitel. Zeitschriften, Handbücher und Lexika, auch Sammelwerke und Kongreßberichte, stehen unter ihrem Sachtitel im AK. Dies ist auch bei den Werken der Fall, bei denen der Verfasser anonym ist oder die von mehr als drei Autoren verfaßt worden sind. Gibt es jedoch einen persönlichen Herausgeber eines Sammelwerkes, dann kann unter dessen Name im AK nachgesehen werden.

Für die Aufnahme und Ordnung der Titel gibt es bibliographische Regeln, die in Regelwerken zusammengefaßt sind (Kluth 1971, S. 48/49). In wissenschaftlichen Bibliotheken werden hauptsächlich die »Instruktionen für die alphabetischen Kataloge der preußischen Bibliotheken«, 2. Ausgabe 1908, die sogenannten »Preußischen Instruktionen« angewendet. In öffentlichen Bibliotheken gelten die »Anweisungen für den alphabetischen Katalog der Volksbüchereien«, Ausgabe 1938, die sogenannten »Berliner Anweisungen«. Nach und nach werden beide Regelwerke durch die neuen »Regeln für die alphabetische Katalogisierung« (RAK) ersetzt, die eine Annäherung an die international üblichen Katalogisierungsgrundsätze brachten. (In den neuen Bundesländern sind diese Regeln schon seit 1977 verbindlich.) Gleichzeitig sind sie für die Anwendung in elektronisch geführten Katalogen sehr geeignet. Gegenüber den »Preußischen Instruktionen«, die ein grammatikalisches Prinzip verfolgen, berücksichtigt RAK die korporativen Urheber (Verfasser, Herausgeber) und bei den Ordnungswörtern das Prinzip der gegebenen Wortfolge. (Hacker 1992, S. 190ff.)

Bei der Einordnung von Titeln in den alphabetischen Katalog ist die Reihenfolge der ordnungswirksamen Titelelemente zu beachten. Verfasserschriften werden unter dem Namen des Verfassers eingeordnet. Dabei ist der Familienname erstes, der Vorname zweites Ordnungswort.

Bei der Ordnung der Titel von mehreren Werken eines Verfassers werden erst die Sammlungen, z. B. die Gesamtausgaben, gesammelte Werke etc., dann die Einzelwerke im Alphabet des ersten Ordnungsworts des Titels aufgeführt.

Liegt eine anonyme Schrift oder das Werk von mehr als drei Verfassern vor, dann ist das für die Einordnung im AK maßgebende Wort (erstes Ordnungswort) das erste im Nominativ stehende Substantiv des Titels; Artikel und Präpositionen werden übergangen. Heute gilt jedoch auch schon weitgehend das Prinzip der gegebenen Wortfolge unter Umgehung des bestimmten und des unbestimmten Artikels am Titelanfang nach dem Prinzip der »Berliner Anweisungen«. Gegebenenfalls werden anonyme Werke auch unter dem Namen der Körperschaft, die das anonyme Werk erarbeitet oder veranlaßt und herausgegeben hat, aufgeführt.

Die Doppellaute ä, ö und ü werden für die Einordnung aufgelöst in ae, oe und ue. Zwischen i und j wird meist nicht unterschieden.

Zeitschriften sind fast stets nach der gegebenen Wortfolge erfaßt.

Der *Sachkatalog* weist das selbständig erschienene, in einer Bibliothek vorhandene Schrifttum *fachlich* nach. Zu unterscheiden sind *systematischer Katalog (SyK)* und *sachalphabetischer oder Schlagwortkatalog (SwK)*.

Der systematische Katalog verzeichnet die Titel unter systematischen Gesichtspunkten nach Wissenschaftsdisziplinen, Abteilungen oder Gruppen. Ihm liegt ein Klassifikationsschema zugrunde, nach dem die einzelnen Titel in den Katalog eingeordnet sind. Meist ist es ein Karten- oder Zettelkatalog, wird also in Karteiform geführt. Innerhalb einer Gruppe sind die Titelkarten durch Leitkarten untergliedert, die spezielle Themen und Gebiete angeben (sogenannte Systemstellen). Hinter diesen Leitkarten sind die Karten, die die vorhandene selbständige Literatur zu einem Gebiet verzeichnen, nach einer chronologischen, verfasseralphabetischen oder stichwortalphabetischen Ordnung einsortiert.

Zu einem SyK gehört ein *Schlagwortregister* in Kartei- oder Katalogform, in dem unter verschiedenen Schlagworten nachgesehen werden kann, bei welcher Systemstelle Literatur eingeordnet ist und ob die Bibliothek überhaupt unter speziellen Themen Literatur führt (Heidtmann 1977, S. 34; Kluth 1971, S. 91 ff).

Der sachalphabetische oder Schlagwortkatalog weist die Bücher nach charakteristischen, den Inhalt betreffenden Hauptsinnstellen nach. Der SwK arbeitet mit häufigen Verweisungen, da Titelaufführungen bei synonymen Wörtern oder ähnlichen Begriffen aus ökonomischen Gründen nicht immer wiederholt werden können. Die Begriffe sind entweder nach dem »engsten« Begriff geordnet – dann sind Verweisungen zum Oberbegriff erforderlich, um auch auf die weiterführende und übergreifende Literatur aufmerksam zu machen, oder nach dem »weitesten« Begriff – dann muß von den Unterbegriffen auf den Oberbegriff verwiesen werden. Der SwK benötigt also ein Verweisungssystem oder ein Schlagwortregister, wenn der Benutzer die Möglichkeiten des Katalogs voll ausschöpfen soll.

Selten sind Mischformen beider Katalogarten. Eine besondere Variante ist der *Kreuzkatalog*. Er führt in einer alphabetischen Ordnung Verfasser, Titel und Schlagwörter auf. Sein Vorzug ist, daß er Schriften von und über Autoren zusammenbringt. In Deutschland ist er allerdings kaum gebräuchlich.

Sonderkataloge beziehen sich entweder auf besondere Interessengebiete oder auf besondere Materialien.

Personenkataloge (Biographische Kataloge) fassen das Titelmaterial von und zu einzelnen Personen zusammen und ordnen es nach dem Alphabet der Namen.

Körperschaftskataloge enthalten Primär- und Sekundärliteratur von und über korporative Verfasser: Gebietskörperschaften (Staaten, Gemeinden), Körperschaften des öffentlichen Rechts (Kirchen, Stiftungen etc.), selbständige Institute (Vereine, Gesellschaften, Unternehmen etc.).

Ortskataloge bezeichnen die Literatur über Orte.

Länder- oder Regionalkataloge verzeichnen die auf Länder und Regionen bezogene Literatur. Innerhalb der Regionen erfolgt die weitere Unterteilung nach Schlagworten.

Der *Titelkatalog* verzeichnet Literatur, darunter auch Sammelschriften, Festschriften oder anonym verfaßte Schriften, nach den im Titel vorkommenden Schlüsselbegriffen.

Der *Bibliographienkatalog* verzeichnet Publikationen, denen ein bibliographischer Anhang (Literaturverzeichnis oder ähnliches) beigegeben ist oder die selbständige Bibliographien sind. Der Katalog ist nach Schlagworten unterteilt, denen die entsprechende Literatur zugeordnet ist.

Sonderkataloge gibt es ebenso für Karten, Bilder, Noten, Schallplatten, Tonbänder, Filme, Dias etc.

Neuerwerbslisten sind Titellisten, die den Benutzer auf Neuerwerbungen hinweisen oder die zu bestimmten Anlässen unter thematischen Gesichtspunkten hergestellt werden.

Häufig verfügen wissenschaftliche Bibliotheken zum Nachweis zusätzlicher Literatur, die die eigene Bibliothek nicht besitzt, auch über die *Kataloge wichtiger fremder Bibliotheken*. In ihnen kann in vielen Fällen nur nach Autoren bzw. nach Sachtitelschriften gesucht werden.

Zeitschriftenverzeichnisse sind in fast allen Bibliotheken vorhanden. Sie weisen den Bestand der von einer Bibliothek laufend bezogenen Zeitschriften nach. Oft werden Zeitschriften zusätzlich auch im Alphabetischen Katalog der UB aufgeführt. Wichtigster überregionaler Nachweis von Zeitschriften und Serien in deutschen Bibliotheken ist die am DBI in Berlin (Deutsches Bibliotheksinstitut, Bundesallee 185, 10717 Berlin) geführte Zeitschriftendatenbank (ZDB), die als Mikrofichekatalog erhältlich und als Online-Katalog zugänglich ist. Mit derzeit ca. 600 000 Periodikatiteln und über 2 Millionen Besitznachweisen ist die ZDB von überragender Bedeutung. Daneben gibt es regionale Zeitschriftenkataloge in Mikrofiche- und Online-Versionen (z.B. Niedersächsischer Zeitschriftennachweis, Hessisches Zeitschriftenverzeichnis) (Hacker 1992, S. 368).

Standortverzeichnisse von Zeitungen sind das gedruckte Verzeichnis von G. Hagelweide »Deutsche Zeitungsbestände in Bibliotheken und Archiven« (für die Zeit von 1700–1969), der »Standortkatalog der deutschen Presse« (SuUB Bremen) und das »Standortverzeichnis Ausländischer Zeitungen und Illustrierter« (SAZI, SB Berlin) (Hacker 1992, S. 368).

Lesesaal. Die meisten Magazinbibliotheken haben einen Lesesaal. In ihm sind neben allgemeinen Auskunftsmitteln wie Enzyklopädien, Wörterbüchern, Adreßbüchern, Vorlesungsverzeichnissen, Studien- und Universitätsführern etc. ausgewählte Präsenzbestände der an der betreffenden Universität vertretenen Wissensgebiete aufgestellt. Es handelt sich bei diesen Beständen meist um einführende und grundlegende Werke. Die Bestände des Lesesaals sind durch einen eigenen Katalog erschlossen.

In modernen Bibliotheken, besonders den Freihandbibliotheken, ist an die Stelle des Lesesaals die Lese- oder Arbeitszone in enger Verbindung mit dem frei zugänglich aufgestellten Bestand getreten (Kluth 1971, S. 117/118; Heidtmann 1977, S. 25).

Zeitschriftenlesesaal. Im Zeitschriftenlesesaal einer Bibliothek sind die neuesten Ausgaben einer Auswahl der regelmäßig bezogenen Fachzeitschriften und Periodika ausgelegt. Es sind dort also keineswegs alle Zeitschriften vorzufinden, die eine UB hält.

Daneben kann es auch separate Räume für die Lektüre der neuesten in- und ausländischen Wochen- und Tagespresse geben. Archiviert wird die Wochen- und Tagespresse meist über einen bestimmten Zeitraum hinweg auf Mikrofilmen, die im Mikroformzentrum der Bibliothek aufbewahrt werden.

Mikroformzentrum. Hier werden die Mikroformen der Bibliothek aufbewahrt und ausgegeben. Zwischen zwei Arten der für Bibliothekszwecke gebräuchlichsten Datenträger ist zu unterscheiden:

Der Mikrofilm ist ein Rollfilm, auf dem Texte Seite für Seite nebeneinander aufgenommen sind. Daneben gibt es den Mikrofiche, einen Planfilm in Karteikartengröße. Auf ihm lassen sich Aufnahmen von bis zu 60 Seiten unterbringen. Die Mikrofiches werden in Karteikästen abgelegt.

Die Erschließung des Mikroformbestands erfolgt wie die des Buchbestands über Kataloge. Der freie Zugang dazu und die Ausleihe des Materials sind ausgeschlossen. Der Vorteil von Mikroformen ist, daß sie wenig Platz beanspruchen; der Nachteil, daß sie nur in speziellen Lesegeräten gelesen werden können und der Benutzer schnell ermüdet (Kluth 1971, S. 129 ff).

Ausleihe. In Magazinbibliotheken, die ihre Bestände in Magazinen aufbewahren, die für den Benutzer nicht direkt zugänglich sind, ist für die Ausleihe von Büchern ein Leihschein erforderlich. In diesen müssen Name und Adresse des Benutzers, der Name des Verfassers des gewünschten Buches, der Titel, gegebenenfalls auch Erscheinungsort und -jahr eingetragen werden; außerdem der Standort des betreffenden Buches, der vom Benutzer über den Katalog ermittelt werden muß. Der vollständig ausgefüllte Leihschein wird in der Ausleihe abgegeben. Am selben Tag oder einen Tag später kann die gewünschte Literatur dann am Ausgabeschalter abgeholt werden.

Bücher, die gerade ausgeliehen sind, können vorbestellt werden. Der Besteller wird benachrichtigt, wenn das Buch wieder verfügbar ist.

Freihandbibliotheken bieten den Vorteil, daß der Benutzer hier gleich an Ort und Stelle in den Beständen nach den gewünschten Titeln suchen und sie − falls sie nicht zum Präsenzbestand rechnen − sofort zur Ausleihe mitnehmen kann. Ein Leihschein pro Buch muß auch hier − wie oben beschrieben − ausgefüllt werden.

Manche Bibliotheken haben ihre Ausleihe bereits auf ein EDV-System umgestellt. Hierbei werden die Kenndaten auf der Leihkarte des Benutzers und des Buches über ein Lesegerät maschinell erfaßt und im Rechner gespeichert. Der Benutzer erhält anschließend einen maschinell erstellten Beleg über die ordnungsgemäß erfolgte Ausleihe, ebenso bei Verlängerung oder Rückgabe des Buches.

Die Ausleihfrist beträgt für Bücher meist 4 Wochen; sie kann verlängert werden, wenn das betreffende Buch nicht anderweitig verlangt wird.

Häufig benötigte Literatur, Einführungsbücher, Lehrbücher oder Texte, die regelmäßig in Seminarveranstaltungen den Besprechungen zugrunde gelegt werden, finden sich in größerer Anzahl in den *Lehrbuchsammlungen*. Es handelt sich meist um Freihandbibliotheken mit eigener Ausleihe.

Fernleihe. Die Fernleihstelle stellt die Verbindung zu anderen Bibliotheken der Bundesrepublik oder des Auslands her und kann benutzt werden, wenn ein Buch oder eine Zeitschrift in der UB nicht nachgewiesen ist. Wenn ein Buch in der UB zwar vorhanden, aber gerade ausgeliehen ist, kann diese Service-Stelle nicht in Anspruch genommen werden.

Die Bibliotheken sind untereinander durch den deutschen bzw. den internationalen Leihverkehr verbunden. Soll ein Buch über die Fernleihe besorgt werden, kann der gewünschte Titel über einen regionalen Gesamt- oder Zentralkatalog gesucht werden. Die Zentralkataloge sind alphabetisch nach Verfassern aufgebaut. Einen Zentralkatalog für die gesamten Literaturbestände der Bundesrepublik gibt es nicht.

Folgende regionale Zentralkataloge können eingeschaltet werden:

- Zentralkatalog Baden-Württemberg in der Landesbibliothek Stuttgart
- Bayerischer Zentralkatalog in der Staatsbibliothek München
- Berliner Gesamtkatalog in der Staatsbibliothek Berlin
- Hessischer Zentralkatalog in der Stadt- und Universitätsbibliothek Frankfurt
- Zentralkatalog Mecklenburg-Vorpommern in der Universitätsbibliothek Rostock
- Niedersächsischer Zentralkatalog in der Universitätsbibliothek Göttingen
- Norddeutscher Zentralkatalog in der Staats- und Universitätsbibliothek Hamburg
- Zentralkatalog Nordrhein-Westfalen im Hochschulbibliothekzentrum Köln
- Zentralkatalog Sachsen-Anhalt in der Universitäts- und Landesbibliothek Halle
- Sächsischer Zentralkatalog Dresden in der Landesbibliothek Dresden
- Sächsischer Zentralkatalog Leipzig in der Universitätsbibliothek Leipzig
- Zentralkatalog Thüringen in der Universitätsbibliothek Jena (Hacker 1992, S. 337)

Über den Zentralkatalog wird eine besitzende Bibliothek festgestellt. Dieser wird ein Fernleihschein zugesandt und sie schickt – falls nicht anderweitig ausgeliehen – das verlangte Buch der bestellenden Bibliothek zu. Diese wiederum informiert den Benutzer über die Verfügbarkeit seiner Bestellung.

Kann der erste regionale Zentralkatalog die gewünschte Literatur nicht ausfindig machen, wird der Leihschein zum nächsten Zentralkatalog weitergeschickt und so weiter, bis das gesuchte Buch gefunden ist. Dieser Vorgang kann drei bis sechs Wochen in Anspruch nehmen.

Auch Zeitschriftenaufsätze können über die Fernleihe bezogen werden. Sie werden in der Regel, falls sie nicht zu umfangreich sind, in fotokopierter Form abgegeben.

Wenn eine Fernleihbestellung innerhalb Deutschlands nicht erledigt werden kann, weil die gewünschte Literatur im Inland nicht nachgewiesen ist, muß der *internationale Leihverkehr* eingeschaltet werden. Bis zur Erledigung internationaler Fernleihbestellungen müssen längere Wartezeiten in Kauf genommen werden. Meist besorgt der Buchhandel die benötigte Literatur erheblich schneller; allerdings ist dieser Versand teurer.

Bibliothekar. Oft kann auch der Bibliothekar oder die Bibliothekarin zuverlässige Hinweise geben, womit man sich viel Zeit sparen kann. Die Auskünfte des Bibliothekars sind besonders dann nützlich, wenn die Bibliothek über fachgebietsspezifisch ausgebildete Bibliothekare verfügt.

6. Praktisches Vorgehen bei der Literatursuche

Vornehmlich fünf Fragen stellen sich bei der Literatursuche:
- Wie findet man Veröffentlichungen eines Autors (Quellentexte, Primärliteratur)?
- Wie findet man Veröffentlichungen über einen Autor (Sekundärliteratur)?
- Wie findet man biographische Angaben zu einem Autor?
- Wie findet man Veröffentlichungen über ein soziologisches Thema (Monographien)?
- Wie findet man vorhandenes empirisches Material zu einem soziologischen Thema (Daten, Datenauswertungen)?

Um zu verdeutlichen, welche Hilfsmittel bei der Literatursuche in den einzelnen Fällen herangezogen werden müssen bzw. welche Strategien zu verfolgen sind, werden die verschiedenen Möglichkeiten in einer Auswahl in diesem praktischen Teil aufgezeigt. (Die genauen bibliographischen Angaben zu den hier genannten Hilfsmitteln finden sich im angeschlossenen Verzeichnis der Auskunfts- und Hilfsmittel.)

a) Veröffentlichungen eines Autors

(1) *Buchveröffentlichungen*
- Alphabetischer Katalog (AK) oder Biographischer Katalog oder Personalkatalog

95

- Internationales Soziologenlexikon, Soziologisches Wörterbuch
- Personalbibliographie
- Totok-Weitzel (Bibliographie der Bibliographien)
- Deutsche Bibliographie
- Jahreskatalog Soziologie
- Bibliographische Auskunftsstellen

Um die Werke eines Autors bibliographisch zu bestimmen, informiert man sich zunächst im alphabetischen Katalog (wahlweise im biographischen oder Personalkatalog) der Bibliothek.

Kurzbibliographien der Werke eines Autors sind enthalten in: Bernsdorf: Internationales Soziologenlexikon. Auch aus Hartfiel: Wörterbuch der Soziologie, lassen sich die wichtigsten Verfasserschriften entnehmen. Beide Nachschlagewerke sind jedoch zwangsläufig nicht auf aktuellstem Stand.

Reichen diese Angaben nicht aus, greift man auf der nächsten Stufe zu einer *Personalbibliographie,* die die Werke eines Autors nennt. Ob es eine solche gibt, entnimmt man der Internationalen Personalbibliographie (Arnim) oder einer Bibliographie der Bibliographien (Totok-Weitzel).

Auch über die Deutsche Nationalbibliographie (DNB) (vor 1991 Deutsche Bibliographie in Frankfurt a. M. und Deutsches Bücherverzeichnis in Leipzig) läßt sich alternativ das gesamte Schrifttum eines Verfassers ermitteln. Die verschiedenen Reihen bzw. Verzeichnisse der DNB erscheinen wöchentlich bis fünfjährig (vgl. im Anschluß an dieses Kapitel 7. Auskunfts- und Hilfsmittel in der Soziologie).

Angaben über jüngste Veröffentlichungen eines Autors erhält man zudem über den *Jahreskatalog Soziologie,* der seit 1969 erscheint und in systematischer Ordnung neuere soziologische Literatur erfaßt. Ein Autorenregister erleichtert die Ermittlungsarbeit.

(2) *Zeitschriftenaufsätze*
- Zeitschriftenbibliographie (Dietrich)
- Sociological Abstracts

Der wichtigste allgemeine Nachweis für Zeitschriftenaufsätze ist der »Dietrich«. Für das 20. Jahrhundert verzeichnet er zwar nur Sachtitel, aber das alphabetische Namensregister am Schluß der Bände weist auch die Beiträge bestimmter Autoren im einzelnen nach.

Ergänzend kann man eine englischsprachige Publikation heranziehen, *Sociological Abstracts,* in der über das Autorenregister Zeitschriftenaufsätze gesuchter Verfasser feststellbar sind.

b) Veröffentlichungen über einen Autor

- Personenkatalog/Biographischer Katalog
- Wörterbuch der Soziologie
- Rezensionsbibliographie
- Social Sciences Citation Index (SSCI)

Ob es Veröffentlichungen zu einem Autor bzw. Auseinandersetzungen mit seinen Schriften in der Literatur gibt, stellt man zunächst im Personal- oder gegebenenfalls in einem Kreuzkatalog der Hochschulbibliothek fest.

Einige Angaben, vornehmlich zu »Klassikern«, finden sich auch in Hartfiel: Wörterbuch der Soziologie.

Auf einer nächsten Stufe greift man zu Rezensionsbibliographien, zu denen man sich den Zugang entweder über einen Bibliographienkatalog oder über die Bibliographie der Bibliographien verschafft. Für die Zeitschriftenliteratur wird der »Dietrich« (Teil C) zu Rate gezogen.

Ergänzend kann der englischsprachige Social Sciences Citation Index (SSCI) behilflich sein, da er festhält, wann und wo bestimmte Autoren zitiert worden sind. Der SSCI wertet Zeitschriften und Bücher aus und faßt die zitierten Autoren alphabetisch zusammen.

c) Biographische Angaben zu Autoren

- Wörterbücher/Enzyklopädien
- Neue Deutsche Biographie
- Bibliographie der Biographien

Sucht man biographische Angaben zu Autoren und Persönlichkeiten der Soziologie, sollte man vor allem Bernsdorf: Internationales Soziologenlexikon, heranziehen.

Knappe biographische Angaben nennt auch Hartfiel: Wörterbuch der Soziologie.

Bei den allgemeinen Personennachweisen umfaßt die *Allgemeine Deutsche Biographie* den Zeitraum bis 1900, die *Neue Deutsche Biographie* die Zeit bis zur Gegenwart. Aber auch in allgemeinen Lexika und Enzyklopädien finden sich häufig biographische Angaben zu Autoren.

Um festzustellen, ob es Biographien über bestimmte Personen gibt, befragt man vorhandene Bibliographien der Biographien oder verschafft sich den Zugang zu ihnen wieder über den Totok-Weitzel.

d) Veröffentlichungen zu einem Einzelthema

− Sachkatalog
− Soziologische Nachschlagewerke
− Einführungsbücher mit bibliographischem Anhang
− Sachregister der Literaturauskunftsmittel:
  Fachbibliographien (Jahreskatalog Soziologie)
  Verzeichnis lieferbarer Bücher (VLB)
  Hochschulschriftenverzeichnis
  Zeitschriftenbibliographie
  Rezensionsbibliographie
  Deutsche Bibliographie
− Informationszentrum Sozialwissenschaften

Zur Ermittlung von Monographien und Originalarbeiten über Spezialthemen dient der Sachkatalog der Bibliothek.

Einen Überblick vermitteln auch die entsprechenden Sachartikel in soziologischen und sozialwissenschaftlichen Nachschlagewerken, Wörterbüchern und Handbüchern, z. B. Hartfiel, Bernsdorf, König.

Wichtig sind darüber hinaus die Literaturverzeichnisse von Büchern zu ähnlichen Themen. Auch die bibliographischen Anhänge in Einführungsbüchern zu themenverwandten Sachgebieten oder Spezialgebieten geben oft wertvolle Hinweise.

Zur Vervollständigung dieser Informationen nutzt man die Sachregister der Fachbibliographien (z. B. Jahreskatalog Soziologie, Sociological Abstract); aber auch das Verzeichnis lieferbarer Bücher (VLB) oder die Verzeichnisse lieferbarer Bücher aus dem Ausland »Books in Print«, »International Books in Print« (alle drei in Druck- und CD-ROM-Ausgaben) geben Hinweise, ebenso wie die Sachregister der Hochschulschriftenverzeichnisse und der Zeitschriftenbibliographie (Dietrich).

Als weiteres bibliographisches Hilfsmittel empfiehlt sich das Sachregister der Deutschen Bibliographie.

Man kann die Suche nach Veröffentlichungen über Einzelthemen erweitern, indem man den Auskunftsdienst des Informationszentrums Sozialwissenschaften in Bonn nutzt, das zu den verschiedensten Themen ausführliche Hinweise über laufende und abgeschlossene Forschungsvorhaben gibt.

Als Informationsvermittlungsstelle Osteuropa wurde 1992 die »Abteilung Berlin« des IZ gegründet, die die Leistungen des IZ in Bonn für die osteuropäischen Länder durchführt.

e) Empirisches Material

- Nachweise laufender Forschung
- Zentralarchiv für Empirische Sozialforschung, Köln
- Zentrum für Umfragen, Methoden und Analysen, Mannheim
  Mannheimer Zentrum für Europäische Sozialforschung
- Statistisches Bundesamt, Wiesbaden
- Dokumentationen privater Forschungsinstitute

Auf der Suche nach empirischen Materialien, Datensammlungen, empirischen Untersuchungen etc. zieht man zweckmäßigerweise die Nachweise laufender Forschung, Forschungsberichte und Forschungsdokumentationen heran. Sie geben einen Überblick über abgeschlossene oder laufende Forschungsarbeiten in bestimmten Berichtszeiträumen.

Bedeutung bei der Suche nach empirischem Material haben vor allem auch das Zentralarchiv für Empirische Sozialforschung in Köln, ZUMA in Mannheim, das Statistische Bundes-

amt sowie eine Anzahl spezialisierter Quellen wie z. B. das
Allensbacher Jahrbuch der Demoskopie (vgl. den Abschnitt
über »Erhebungsmaterial, empirisches Material« in diesem
Kapitel).

7. Auskunfts- und Hilfsmittel in der Soziologie

Das Verzeichnis der Auskunfts- und Hilfsmittel ist bewußt
knapp gehalten, um es für die tägliche Studienpraxis benutzbar
zu machen.

Das Wissenswerteste aus der Bücherkunde für Soziologen ist
hier in Form eines bibliographischen Nachschlageteils zusammengefaßt, der zusätzlich zur Zuordnung der Titel zu Sach-
gruppen durch das Register am Ende des Buches erschlossen ist.

Aufgabe dieses Teils ist es, mit den wichtigsten Nachschlagewerken und bibliographischen Hilfsmitteln in der Soziologie
und den Sozialwissenschaften bekannt zu machen, deren
Kenntnis den Studierenden, aber auch den Lehrenden des Faches Mühe, Zeit und Umwege ersparen hilft.

a) Nachschlagewerke

Die wichtigsten Wörterbücher, Lexika und Handbücher in der
Soziologie

Aßmann, G. u. a. (Hgg.): Wörterbuch der marxistisch-leni-
nistischen Soziologie, 2., überarb. u. erw. Aufl., Opladen/
Wiesbaden 1978.
  Das Wörterbuch wurde von Soziologen und Gesellschaftswissen-
  schaftlern der DDR geschrieben; es spiegelt in seinen über 230 Artikeln das Selbstverständnis und den aktuellen Stand der Soziologie in
  der DDR wider.
Bernsdorf, W. (Hg.): Wörterbuch der Soziologie, 2., neubearb.
u. erw. Ausg., Stuttgart 1969.
  Umfangreiches soziologisches Nachschlagewerk mit z. T. sehr ausführlichen Artikeln. Zahlreiche Verweise und bibliographische Angaben. Inzwischen z. T. überholt. (Auch als 3bändige, gekürzte Taschenbuchausgabe, 5. Aufl., Frankfurt 1976).

Endruweit, G. Traumsdorf, G.: Wörterbuch der Soziologie, 3 Bde., Stuttgart 1989.

Fuchs, W. u. a. (Hgg.): Lexikon zur Soziologie, 2., verb. u. erw. Aufl., Opladen/Wiesbaden 1978 (auch als Taschenbuchausgabe: 2 Bde., Reinbek 1975).
Dieses soziologische Sachwörterbuch enthält fast 7000 meist sehr knappe Worterläuterungen aus der Soziologie und deren Nachbarwissenschaften. Orientiert über unterschiedliche methodische und erkenntnistheoretische Ansätze. (Keine Literaturhinweise.)

Hartfiel, G.: Wörterbuch der Soziologie, 2., erg. u. überarb. Aufl., Stuttgart 1976.
Rund 3000 Artikel. Sachwortbeiträge, zahlreiche biographische Informationen, zahlreiche Literaturhinweise. Das Wörterbuch informiert über den gegenwärtigen Stand der soziologischen Forschung im deutschen Sprachraum; besonderer Wert wird gelegt auf die Darstellung der verschiedenen »Schulen«, Richtungen und wissenschaftstheoretischen Grundlagen der Soziologie sowie ihrer Verbindungen zu den Nachbarwissenschaften.

Herder Lexikon Soziologie, Bearb. B. Blinkert, Freiburg 1976.

König, R. (Hg.): Handbuch der empirischen Sozialforschung (HES), 3., umgearb. u. erw. Aufl., 4 Bde., Stuttgart 1973 ff (auch als Taschenbuchausgabe, Bd. 1 ff, Stuttgart 1973 ff).
Ausführlich dargestellte, ausgewählte Problembereiche der Soziologie; ausführliche Literaturverzeichnisse.

Bd. 1: Geschichte und Grundprobleme der empirischen Sozialforschung

Bd. 2, 3a, 3b: Grundlegende Methoden und Techniken der empirischen Sozialforschung

Bd. 4: Komplexe Forschungsansätze

Bd. 5: Soziale Schichtung und Mobilität

Bd. 6: Jugend

Bd. 7: Familie, Alter

Bd. 8: Beruf, Industrie, Sozialer Wandel

Bd. 9: Organisation, Militär

Bd. 10: Großstadt, Massenkommunikation, Stadt-Land-Beziehungen

Bd. 11: Freizeit, Konsum

Bd. 12: Wahlverhalten, Vorurteile, Kriminalität

Bd. 13: Sprache, Künste

König, R. (Hg.): Fischer-Lexikon Soziologie, 16. Aufl., Frankfurt 1976.
Enthält knapp 50 Artikel aus dem Problembereich der allgemeinen Soziologie sowie über einige angewandte, spezielle Soziologien.

Schoeck, H.: Soziologisches Wörterbuch, 10., völlig neubearb. u. erw. Aufl., Freiburg 1977.
Ca. 600 Stichworte zur Soziologie mit zahlreichen Literaturangaben.

Vierkandt, A. (Hg.): Handwörterbuch der Soziologie, unveränd. Neudruck der 1. Aufl. (1931), Stuttgart 1961.
Historisch interessant für die Geschichte der Soziologie in Deutschland. Literaturhinweise zu jedem Artikel.

Ziegenfuß, W. (Hg.): Handbuch der Soziologie, 2 Bde., Stuttgart 1955/1956.
Von historischem Interesse für die Geschichte der Soziologie in Deutschland. Zahlreiche Literaturhinweise. Personen- und Sachregister.

Lexika und Wörterbücher zum *Gesamtbereich* der Sozialwissenschaften

Beckerath, E. v. u. a. (Hgg.): Handwörterbuch der Sozialwissenschaften (HdSW), Bd. 1–12 und Registerband, Stuttgart/Tübingen/Göttingen 1956–1963.
Längere Artikel mit ausführlichen Literaturangaben; Themen insbesondere aus der Wirtschafts- und Sozialpolitik; z. T. veraltet.

Evangelisches Soziallexikon, Hg. F. Karrenberg, 6. Aufl., Stuttgart 1970.

Evangelisches Staatslexikon, Hgg.: H. Kunst u. a., 2., vollst. neubearb. u. erw. Aufl., Stuttgart 1975.

Sills, D. L. (Hg.): International Encyclopedia of the Social Sciences, Vol. 1–17, New York, N. Y. 1968.
Ausführliche signierte fachliche und biographische Artikel zu allen sozialwissenschaftlichen Disziplinen mit zahlreichen Literaturangaben.

Staatslexikon. Recht, Wirtschaft, Gesellschaft, hg. von der Görres-Gesellschaft, 6., neubearb. Aufl., Bd. 1–8, 9–11, Freiburg 1957–1970. (Bde. 9–11, 1969–1970 sind Ergänzungsbände).
Signierte Artikel mit ausführlichen Schrifttumsnachweisen. Vertritt vorwiegend katholischen Standpunkt.

Statistische Jahrbücher

Statistisches Jahrbuch für die Bundesrepublik Deutschland. Hg.: Statistisches Bundesamt, Wiesbaden.

Das Statistische Jahrbuch gibt umfassend Auskunft über Daten zum wirtschaftlichen, sozialen und kulturellen Leben für die Bundesrepublik und Berlin-West in sachlicher Gliederung. Im Anhang ausgewählte Daten aus der DDR sowie internationale Übersichten. Am Schluß ein Quellenverzeichnis, das auf weiterführende Arbeiten (Statistiken) des Statistischen Bundesamtes verweist. Sachregister.

Statistisches Jahrbuch der DDR (bis 1989), Hg.: Statistisches Zentralamt, Berlin.

Statesman's Yearbook. Statistical and historical annual of the states of the world, London.

Europa Yearbook, Vol. 1, 2, London.

Allgemeine Nachschlagewerke

Brockhaus Enzyklopädie in 20 Bänden, 17., völlig neubearb. Aufl., Wiesbaden 1966–1975.

Meyers Enzyklopädisches Lexikon in 25 Bänden, 9. Aufl., Mannheim, 1971 ff.

The New Encyclopaedia Britannica. Micropaedia, Vol. 1–10, Macropaedia, Vol. 1–19, Propaedia, Chicago 1974/1975.

Grand Larousse Encyclopédique. En 10 volumes. Paris 1960–1964.

b) Personennachweise

Personennachweis in der Soziologie

Bernsdorf, W. (Hg.): Internationales Soziologenlexikon, Stuttgart 1959.

Das Lexikon gibt Auskunft über rd. 1000 Soziologen, darunter auch Sozialwissenschaftler mit den verschiedensten Spezialgebieten. Informationen über Alter, Herkunft, beruflichen Werdegang mit anschließender Kurzbiographie der veröffentlichten Werke.

Personennachweise allgemein

Neue Deutsche Biographie, 1 ff Berlin 1953 ff
Reicht von 1900 bis zur Gegenwart. Wiederaufnahme der 56bän-
digen Allgemeinen Deutschen Biographie (ADB), die von 1875–1912
erschienen ist und die bis 1899 verstorbenen Persönlichkeiten umfaßt.

Kürschners Deutscher Gelehrten-Kalender, 12. Ausg., Berlin
1976.

Munzinger Archiv. Teil: Internationales Biographisches Archiv
(IBA), Ravensburg (Loseblattausgabe).

Who's who in Germany. Biographische Enzyklopädie der
BRD, 2 Bde., 6. Ausg., Ottobrunn 1976.

c) *Forschungsberichte*. Nachweise laufender Forschung in der
Soziologie

Empirische Sozialforschung 19.. Empirical social research 19..
Eine Dokumentation von T. A. Herz u. a.
Zentralarchiv für empirische Sozialforschung, Universität
Köln jrl.
Dokumentation der im Berichtsjahr geplanten, laufenden und abge-
schlossenen Forschungsarbeiten in den Sozialwissenschaften in der
BRD, Österreich und im deutschsprachigen Teil der Schweiz. Erfaßt
werden Arbeiten der Fachgebiete Soziologie, Politikwissenschaft, Ar-
beitsmarkt- und Berufsforschung u. a. m. Durch mehrere Register
erschlossen.

Forschungsarbeiten in den Sozialwissenschaften 19..
Dokumentation über die sozialwissenschaftlichen Forschungsarbeiten von Hochschulen, Behörden, privatwirtschaftlichen Institutionen
sowie einzelnen Wissenschaftlern der BRD, Österreichs und der
deutschsprachigen Schweiz. Personen-, Sach- und Ortsregister. Informationen zu Arbeiten aus den Sozialwissenschaften und zu Arbeiten mit sozialwissenschaftlichem Bezug.
Das Verzeichnis wird zusammengestellt vom Informationszentrum
Sozialwissenschaften (IZ), Lennéstraße 30, 53113 Bonn.
Die mit dem Transfer sozialwissenschaftlicher Informationen betraute
»Abteilung Berlin« des IZ stellt ebenfalls Literatur- und Forschungsnachweise bereit: IZ Abteilung Berlin in der Außenstelle der Gesell-
schaft sozialwissenschaftlicher Infrastruktureinrichtungen e. V.
(GESIS), Schiffbauerdamm 19, 10117 Berlin.
Forschungsberichte stellt auch das Zentrum für Umfragen, Metho-

den und Analysen (ZUMA) in Mannheim, Postfach 12 21 55, 68072 Mannheim, zur Verfügung.

Forschungsdokumentation zur Arbeitsmarkt- und Berufsforschung, Nürnberg: Institut für Arbeitsmarkt- und Berufsforschung der Bundesanstalt für Arbeit.

d) Bibliographien

Fachbibliographien (Soziologie, Sozialwissenschaften)

Jahreskatalog Soziologie, Bearb. Peter Loviscach u. a., Berlin 1969 ff.

In jedem Band werden in systematischer Anordnung rund 1200 Titel überwiegend deutschsprachiger neuerer Literatur aufgeführt. Der Katalog ist systematisch geordnet und beinhaltet Nachschlagewerke, Quellenmaterial, Einführungen, Lehr- und Fachbücher sowie Periodika, Bände mit Kongreß- und Tagungsberichten und soziologische Sachbücher. Auch die Nebengebiete der Soziologie werden berücksichtigt. Autoren- und Sachregister. (Heidtmann 1977, S. 132)

Sociological abstracts, 1 ff New York, N. Y.: American Sociological Association 1952/53 ff.

Wichtigste laufende Bibliographie für Soziologen. Ausführliche Referierung in systematischer Anordnung von jährlich rund 3000 Büchern und Zeitschriftenaufsätzen aus allen Sprachen. Jährlich erscheint ein kumuliertes Autoren- und Schlagwortregister (Heidtmann 1977, S. 135/136).

International bibliography of sociology, 1 ff London 1952 ff.

Jährlich rund 5000 Titel von Büchern und Zeitschriftenaufsätzen in systematischer Anordnung. Es werden allerdings nur Titel aufgelistet, also keine weiteren Inhaltsinformationen vermittelt. Die ersten vier Jahrgänge der Bibliographie sind in der Zeitschrift »Current sociology« enthalten, ab Vol. 10 Teil der »International bibliography of the social sciences«.

Bibliographie der Sozialwissenschaften

Internationale Dokumentation der Buch- und Zeitschriftenliteratur des Gesamtgebietes der Sozialwissenschaften, Berlin 1905–1943. Neue Folge, Göttingen 1950 ff, als Beilage zum »Jahrbuch der Sozialwissenschaften«. Vom Berichtsjahr 1968 an fortgeführt als »Bibliographie der Wirtschaftswissenschaften«, Hg.: Institut für Weltwirtschaft an der Universität Kiel.

Bibliographie Soziologie

In Karteikartenform erscheinende Bibliographie des Instituts für Gesellschaftswissenschaften in Berlin (Ost).

The ABS guide to recent publications in the social and behavioral sciences, New York, N.Y.: The Behavioral Scientist 1965.

Für den Berichtsraum 1957–1964 auswählende und annotierte Bibliographie selbständig und unselbständig erschienener Literatur aus den gesamten Sozialwissenschaften in systematischer Anordnung. Erschlossen durch mehrere Register.

Recent publications in the social and behavioral sciences. The ABS guide 19.. supplement. New York, N.Y.: The American Behavioral Scientist 1966 ff.

Beruht auf der alle zwei Monate in der Zeitschrift »American Behavioral Scientist« abgedruckten Auswahlbibliographie.

International bibliography of the social sciences. Bibliographie internationale des sciences sociales. London 1960 ff.

Besteht aus vier selbständigen Bibliographien, die unter diesem gemeinsamen Titel seit 1960 von der UNESCO herausgegeben werden.

Current contents. Social and behavioral sciences, 1 ff Philadelphia, Pa., 1974 ff

Hauptsächlich werden englischsprachige Zeitschriften erfaßt, aber auch die wichtigsten deutschen und andere europäische Zeitschriften sind enthalten, nicht jedoch Ostblockzeitschriften. Schlagwort- und Autorenregister, Adressenverzeichnis.

Ganz auf *Rezensionen* spezialisiert sind:

Contemporary sociology: a journal of reviews, 1 ff Washington D.C.: American Sociological Association 1972 ff.

Jährlich werden mehr als 400 Bücher besprochen.

Literaturdokumentation zur Arbeitsmarkt- und Berufsforschung. Vom Nürnberger Institut für Arbeitsmarkt- und Berufsforschung zusammengestellte Bibliographie mit Zusammenfassungen. Nach Sachgebieten gegliedert, Autorenregister, erscheint zweimal jährlich.

Soziologische Revue. Besprechungen neuer Literatur, 1 ff München 1978 ff, vierteljährlich.

Social sciences citation index (SSCI). An international multidisciplinary index to the literature of the social, behavioral and related sciences, 1 ff, Philadelphia 1970 ff.

Diese dreimal jährlich erscheinende Titelbibliographie wertet etwa 1500 sozialwissenschaftliche Zeitschriften aus aller Welt aus. Der Schwerpunkt liegt auf den englischsprachigen. Rund 70000 Titel werden pro Heft nachgewiesen. Neben einer Liste aller ausgewerteten

Zeitschriften und Bücher (Source journal lists), besteht der SSCI aus vier Teilen:
1. Citation index: enthält die zitierten Autoren mit Hinweis auf die zitierenden Schriften (alphabetisch nach Verfassern),
2. Source index: führt die zitierenden Publikationen auf,
3. Corporate address index: führt auf, von welcher Korporation eine Publikation herausgegeben wurde,
4. Permuterm subject index: Stichwortregister aus den Sachtiteln der verzeichneten Schriften.

Sozialwissenschaftlicher Fachinformationsdienst. Loseblatt-Bibliographie mit Inhaltsübersicht deutschsprachiger soziologischer Literatur, herausgegeben vom IZ in Bonn.

Allgemeine Personalbibliographie

Die Schriften nach Verfassern führt auf:

Arnim, M.: Internationale Personalbibliographie, Bd. 1−3, 2. Aufl., Stuttgart 1952−1963
(erfaßt den Zeitraum 1800−1959).

Nationalbibliographien

Seit 1916 erscheint in Mehrjahresbänden

Deutsches Bücherverzeichnis. Eine Zusammenstellung der im deutschen Buchhandel erschienenen Bücher, Zeitschriften und Landkarten. Nebst Stich- und Schlagwortregister. Leipzig (Berichtszeit: 1911 ff)
Dieses Verzeichnis umfaßt alle im Buchhandel erschienen deutschsprachigen Bücher, also auch die in Österreich und der Schweiz herausgekommenen Publikationen von 1911 an. Alphabetische Ordnung nach Autoren.

Mit dem Berichtsjahr 1945 beginnt eine doppelte Verzeichnung: außer dem

Bücherverzeichnis
in Leipzig erscheint in Frankfurt die

Deutsche Bibliographie
als Mehrjahresbibliographie. Dazu gibt es das in Leipzig erscheinende

Jahresverzeichnis des deutschen Schrifttums
und das in Frankfurt bearbeitete

Halbjahresverzeichnis der Deutschen Bibliographie.

Buchhandelsbibliographien

Zur Ermittlung der im Buchhandel erhältlichen Literatur zieht man die insbesondere für Buchhandelszwecke hergestellten Verzeichnisse lieferbarer Bücher heran. Sie geben einen recht vollständigen Überblick über die neuere nationale, vom Buchhandel beschaffbare Buchproduktion. Für den deutschsprachigen Raum ohne die DDR ist maßgebend:

Verzeichnis lieferbarer Bücher (VLB), München (jährlich).

Seit 1975/76 erscheint es in einem durchgehenden Autor-Titelalphabet in mehreren Teilbänden. Es verzeichnet mehr als eine Viertelmillion Titel.

In den USA erhältliche Publikationen führt auf:

Books in print 1976. Vol. 1–4, New York, N.Y.

Band 1 und 2 weisen die Literatur nach Autoren nach, Band 3 und 4 nach Titeln. Es werden rd. 350 000 Publikationen aufgeführt.

Für die sachliche Suche ist notwendig:

Subject guide to books in print 1975. Vol. 1, 2, New York, N.Y. 1975

Nach rund 63 000 Sachbegriffen werden die Publikationen aufgelistet.

Nachweis von Zeitschriftenaufsätzen

Internationale Bibliographie der Zeitschriftenliteratur aus allen Gebieten des Wissens, begründet von F. Dietrich, Leipzig 1897 ff. (Seit 1946 Osnabrück).

Es werden rund 10 000 Zeitschriften aus aller Welt ausgewertet.

Nachweise von Rezensionen

Rezensionsbibliographien weisen nach, wo Rezensionen von Veröffentlichungen zu finden sind. Eine allgemeine Rezensionsbibliographie ist die

Internationale Bibliographie der Zeitschriftenliteratur (Dietrich), Osnabrück, Teil C: Bibliographie der Rezensionen wissenschaftlicher Literatur.

Nachweise von Hochschulschriften

Unter Hochschulschriften versteht man Dissertationen und Habilitationsschriften. Sie gelten als veröffentlichtes Schrifttum, auch wenn sie nur in vervielfältigter Form vorliegen

Jahresverzeichnis der Deutschen Hochschulschriften, Berlin.

Reihe C der Deutschen Nationalbibliographie, Leipzig.

Reihe H der Deutschen Bibliographie, Frankfurt.

Dissertation abstracts international. Abstracts of dissertations available on microfilm or as xerographic reproductions, 1 ff Ann Arbor, Mich. 1938 ff.

Reynolds, Michael M.: Guide to theses and dissertations. An annotated, international bibliography of bibliographies, Detroit, Mich. 1975.

Nachweis von Kongreßberichten

Ein spezielles Verzeichnis der Veröffentlichungen von wissenschaftlichen Kongressen, Symposien, Konferenzen, Tagungen etc. ist

Gesamtverzeichnis der Kongreß-Schriften in Bibliotheken der Bundesrepublik Deutschland einschließlich Berlin-West (GKS).

Es faßt Schriften von und zu Kongressen, Konferenzen, Kolloquien, Symposien, Tagungen, Versammlungen u. dgl. zusammen (vor 1971; mit Besitznachweisen). Bearb. und hg. Staatsbibliothek Preußischer Kulturbesitz, München 1976.

Weiterhin sind Kongreßberichte erfaßt in:

Internationale Jahresbibliographie der Kongreßberichte

Index to Scientific & Technical Proceedings

Index of Social Science & Humanities Proceeding

Conference Papers Index

Bibliographic Guide to Conference Publications

Bibliographien der Bibliographien

Totok, W. und R. Weitzel: Handbuch der bibliographischen Nachschlagewerke, 4., erw. Aufl., Frankfurt 1972.

Besterman, Th.: A world bibliography of bibliographies and of bibliographical catalogues, calendars, abstracts, digests, indexes and the like, Bde. 1–5, 4. Aufl., Lausanne 1965–1966.

Bibliographie der Bibliographien. Monatliches Verzeichnis, bearb. u. hg. v. d. Deutschen Bücherei, Leipzig.

e) Nachweise von Institutionen; Adreßbücher

Adressenverzeichnisse:

Vademecum deutscher Lehr- und Forschungsstätten, 6., neubearb. Aufl., Wiesbaden 1986 (auch elektronisch abrufbar).

Domay, Friedrich: Handbuch der deutschen wissenschaftlichen Akademien und Gesellschaften. Einschl. zahlreicher Vereine, Forschungsinstitute und Arbeitsgemeinschaften in der Bundesrepublik Deutschland. Mit einer Bibliographie deutscher Akademie- und Gesellschaftspublikationen, 2., völlig neubearb. u. erw. Aufl., Wiesbaden 1976.

Minerva: Archive im deutschsprachigen Raum, Bd. 1, 2, 2. Aufl., Berlin 1974.

Minerva: Internationales Verzeichnis wissenschaftlicher Institutionen, Bd. 1: Wissenschaftliche Gesellschaften, Bd. 2: Forschungsinstitute, 33. Ausgabe, Berlin 1972.

Minerva: Jahrbuch der gelehrten Welt. Abt. Universitäten und Fachhochschulen, Bd. 1, 2, 35. Ausg., Berlin 1966/70.

Verbände und Gesellschaften der Wissenschaft. Ein internationales Verzeichnis, Handbuch der internationalen Dokumentation und Information 13, München 1974.

Mason, John Brown: Research resources: Annotated guide to the social sciences. Vol. 1, 2, Santa Barbara, Cal. 1974 f.

Inventory of information resources in the social sciences, Hgg.: Brittain, J. M. und S. A. Roberts, Farnborough 1975.

Bibliographie der Adreßbücher:

Internationale Bibliographie der Fachadreßbücher, 5. Ausg., Pullach 1973

f) Abkürzungsverzeichnisse

Acronyms and initialisms dictionary. A guide to alphabetic designation, contraction, acronyms, initialisms and similar appellations, 4. ed. Detroit, Mich. 1973. New acronyms and initialisms, Suppl. to Acronyms and initialisms dictionary, 4. ed. Detroit, Mich. 1975 (löst Abkürzungen aller Art auf).

Leistner, Otto: Internationale Titelabkürzungen von Zeitschriften, Zeitungen, wichtigen Handbüchern, Wörterbüchern, Gesetzen usw., Osnabrück 1970.

Spillner, Paul: Internationales Wörterbuch der Abkürzungen von Organisationen, T. 1–3, 2., erw. Aufl., München Pullach 1970–1972.

8. Literatursuche über elektronische Datenbanken

Fast alle Quellen sind heutzutage auch elektronisch abrufbar, unabhängig, ob es sich dabei um sogenannte numerische (Börsenkurse über die Deutsche Finanzdatenbank in Karlsruhe) oder Faktendatenbanken (Gerichtsurteile, Tagungen, Patente etc.), Volltext-Datenbanken (stellen vollständige Aufsätze bereit) oder Literaturdatenbanken handelt.

Für studentische Arbeiten sind diese bibliographischen Datenbanken sehr wichtig, so daß an dieser Stelle auf einige, für eine soziologische Arbeit relevante Literaturdatenbanken hingewiesen werden soll:

Bibliodata: Sammlungen aller bei der Deutschen Bibliothek in Frankfurt registrierten Druckwerke (ab 1972); wird wöchentlich fortgeschrieben.

Foris: »Forschungsinformationssystem Sozialwissenschaften«, das vom Informationszentrum Sozialwissenschaften in Bonn (IZ) zusammengestellt wird. *Foris* informiert über laufende, geplante und abgeschlossene Forschungsarbeiten aus dem deutschsprachigen Raum. Gibt Beschreibungen zum Inhalt, Vorgehensweise des Projektes und Adressen der entsprechenden Autoren bzw. Institute. *Foris* enthält Informationen zu allen Sachgebieten der Soziologie sowie benachbarter Disziplinen.

Popline: »Population Information Online« beinhaltet internationale demographische Literatur.

Solis: »Sozialwissenschaftliches Literaturinformationssystem«, das ebenfalls vom IZ in Bonn zusammengestellt und verwaltet wird. Dokumentiert wird deutschsprachige Literatur zu Soziologie, Sozialpolitik, Wirtschaftswissenschaften, Demographie und Publizistik. Neben den bibliographischen Daten können auch Kurzfassungen der meisten Quellen abgerufen werden, die über Inhalte und Ergebnisse informieren. *Solis* enthält Literatur ab 1945 und Graue Literatur seit 1978; ab 1982 sind auch die Fachgebiete Arbeitsmarkt- und Berufsforschung, Kommunikation, Sozialgeschichte vollständig abgedeckt.

VLB-Aktuell: Online-Version des »Verzeichnisses lieferbarer Bücher« der Buchhändler-Vereinigung GmbH in Frankfurt/ Main.

In der Regel liefern diese Datenbanken nicht den vollen Text der Dokumente, sondern nur formale Daten wie Autor, Titel, Fundstelle, Erscheinungsdatum, eventuell einige Schlagwörter oder eine Kurzfassung. Das eigentliche Dokument muß anschließend selbst besorgt werden.

Exemplarisch anhand von *Solis* seien die Möglichkeiten des Zugriffs auf diese Datenbanken beschrieben:

(1) Man wendet sich direkt an das IZ in Bonn als Anbieter einer Datenbank und bittet um Informationen zu einem bestimmten Thema. Die Informationen werden per Post zugeschickt.

(2) Man schaltet eine sogenannte »Informationsvermittlungsstelle«, z.B. die Universitätsbibliothek ein, die in *Solis* recherchiert. Auch hier bekommt man in der Regel die Informationen per Post zugeschickt.

(3) Man bestellt sich zur Auswertung auf dem eigenen PC die Daten auf Diskette oder auf CD-ROM (»Compact Disk-Read Only Memory«).

(4) Man schaltet sich über den eigenen Rechner in eine Datenbank ein und recherchiert »online«. Dies ist zwar der schnellste Weg zu den Daten, erfordert aber auch eine entsprechende Infrastruktur.

Solis wie auch *Foris* sind über drei Hosts (Großrechner) zugänglich:

– STN International (The Scientific & Technical Information Network), Karlsruhe

– DIMDI (Deutsches Institut für Medizinische Dokumentation und Information), Köln

– GBI (Gesellschaft für betriebswirtschaftliche Information mbH), München.

Solche Informationsvermittlungsdienste kosten natürlich Geld. Zum Beispiel verlangt das IZ für eine 10-Minuten-Recherche in einer Datenbank mit Ausdruck eines Suchergebnisses von 40 Nachweisen ca. DM 60.–. Oftmals gibt es für Studierende Sonderpreise, jedoch variieren die Gebühren von Institut zu Institut beträchtlich.

Ausgewählte Literatur

Eco, U. 1991: Wie man eine wissenschaftliche Abschlußarbeit schreibt, 4. Auflage, Heidelberg.

Hacker, R. 1992: Bibliothekarisches Grundwissen, 6., völlig überarb. Aufl., München.

Heidtmann, F. 1977: Wie finde ich sozialwissenschaftliche Literatur? Berlin.

Kluth, R. 1971: Einführung in die Bibliothekskunde, Berlin, New York.

Krämer, W. 1992: Wie schreibe ich eine Seminar-, Examens- und Diplomarbeit, Stuttgart.

Spandl, O. P. 1971: Die Organisation der wissenschaftlichen Arbeit, Braunschweig.

Kapitel IV
Die schriftliche wissenschaftliche Arbeit in der Soziologie

Die schriftliche wissenschaftliche Arbeit ist im Regelfall quellenbetont. Das hat zur Folge, daß der Wert einer Seminar- oder Prüfungsarbeit neben dem inhaltlichen Aufbau auch ganz wesentlich von der korrekten Form der Quellenbehandlung bestimmt wird. Wissenschaftliche Arbeiten unterscheiden sich von den mehr textbetonten Arbeiten wie Essay, Lyrik, Erzählung, Feuilleton, Bericht etc. primär durch die Sammlung, Aufbereitung, Auswahl, Verwendung und wahrheitsgetreue Kenntlichmachung von wissenschaftlichen und nicht-wissenschaftlichen Materialien. Die wichtigsten Voraussetzungen für jede wissenschaftliche Abhandlung, sei es eine Seminar-, Haus- oder Abschlußarbeit, sind das intensive Quellenstudium und das Interesse des Studierenden für das Thema der Arbeit. Für das Gelingen einer wissenschaftlichen Arbeit gelten bezüglich dieser beiden Anforderungen vier Faustregeln:

(1) Das Thema soll den Interessen des Studierenden entsprechen.

(2) Die Quellen, die herangezogen werden, müssen und sollen dem Studierenden zugänglich sein.

(3) Der Studierende soll mit diesen Quellen umgehen können.

(4) Die methodischen Ansprüche der Arbeit sollen dem Erfahrungsbereich des Studierenden entsprechen. (Eco 1991, S. 14f.)

Die folgenden Kapitel versuchen einige Ratschläge zu geben, die dem Studierenden bei der Strukturierung, dem Aufbau und der Gestaltung der Arbeit dienlich sein können sowie vielleicht auch seine eigene Motivation und Disziplin ansprechen.

1. Arten von schriftlichen Arbeiten

Seminararbeit. Seminararbeiten sind in erster Linie Hausarbeiten und Referate. Auch wenn sie vorwiegend Übungszwecken dienen und als ein Nachweis für die Fortschritte im selbständigen wissenschaftlichen Arbeiten gelten, werden doch an die Form und den Aufbau einer Seminararbeit die gleichen Anforderungen gestellt wie an sonstige wissenschaftliche Manuskripte. Hausarbeiten und ausformulierte Referate bilden meist eine ausschließlich quellenbetonte Darstellung zu einem eng begrenzten Thema und werden im Regelfall zehn bis zwanzig maschinenschriftlich beschriebene Seiten nicht überschreiten.

Prüfungsarbeit. Als Prüfungsarbeiten gelten Diplom-, Magister-, Staats- und Zulassungsarbeiten für das Lehramt an Schulen. Die Prüfungsarbeiten stehen in ihrem Rang zwischen Seminararbeiten und Dissertationen und dienen dem Nachweis der selbständigen Bearbeitung eines Themas innerhalb einer vorgeschriebenen Frist, ohne daß ein zwingender Anspruch auf einen neuen Forschungsbeitrag besteht. Im Mittelpunkt der Beurteilung steht neben der Berücksichtigung der Formvorschriften die Befähigung eines Kandidaten, wissenschaftliche Gedankenführungen methodisch richtig und systematisch wiederzugeben, sie einander gegenüberzustellen und kritisch zu kommentieren.

Dissertation. Die Dissertation als eine wissenschaftliche Arbeit zur Erlangung eines Doktorgrades zeichnet sich durch eine relativ freie Thematik und Bearbeitungsdauer aus. Dissertationen stellen in der Regel wissenschaftliche Arbeiten dar, an die der Anspruch eines eigenständigen Forschungsbeitrages gestellt wird. Da eine Veröffentlichung in bestimmten Fällen vorgesehen sein kann, werden nicht nur besonders hohe Anforderungen an Form und Aufbau der Arbeit, sondern auch an eine methodisch und logisch einwandfreie Argumentation gestellt.

Weitere wissenschaftliche Arbeiten
Thesenpapier. In einem Thesenpapier werden die wichtigsten Gesichtspunkte eines Textes, eines Vortrages oder eines Themas zusammengestellt. Es dient primär als Diskussionsgrundlage.

Dem Aufbau des Thesenpapiers liegt eine klare, übersichtliche Gliederung in zahlreiche, meist durchnumerierte Absätze zugrunde. Jede These oder jeder Thesenkomplex wird auch äußerlich sichtbar von den vorherigen abgesetzt.

Die Thesen können als Zitate oder mit eigenen Worten wiedergegeben werden. Dabei ist eine präzise, knappe, auf das Wesentliche zielende Ausdrucksweise zu empfehlen, d. h. Thesen werden meist in Kurzform dargestellt.

Der Umfang eines Thesenpapiers wird in der Regel drei Seiten nicht überschreiten.

Protokoll. Protokolle sind nachvollziehende Niederschriften von Seminarsitzungen, Kolloquien, Kongressen oder auch wissenschaftlichen Tagungen. Man unterscheidet zwischen folgenden Protokolltypen:

> Verlaufsprotokoll,
> Ergebnisprotokoll,
> wörtliches Protokoll,
> Gedächtnisprotokoll.

Das *Verlaufsprotokoll* dient dem Zweck, ein lückenloses Bild von Gegenstand und Diskussion einer Sitzung zu geben. Dies hat zur Folge, daß auch nebensächliche Argumente, Thesen und Probleme chronologisch oder systematisch aufgezeichnet werden. Im Zweifelsfall ist eine nachträgliche Rücksprache mit den Diskussionsteilnehmern oder Referenten erforderlich, um eine korrekte Wiedergabe der Beiträge zu gewährleisten.

Das *Ergebnisprotokoll* bildet eine gestraffte Zusammenfassung einer Veranstaltung. Im Gegensatz zum Verlaufsprotokoll stehen nicht so sehr sämtliche Ausführungen und Argumentationsketten im Mittelpunkt als vielmehr eine Art thesenhafte Wiedergabe der Themen, theoretischen Standorte, zentralen Argumente und Ergebnissätze. Das Ergebnisprotokoll fordert vom Verfasser die Befähigung, zwischen Wesentlichem und Unwesentlichem zu unterscheiden und sich ausschließlich auf den roten Faden einer Sitzung zu konzentrieren.

Man kann zwischen einem reinen und einem erweiterten Ergebnisprotokoll unterscheiden. Während das reine Ergebnisprotokoll ausschließlich die Ergebnisse erfaßt, werden im erweiterten Ergebnisprotokoll auch die Argumente dargestellt, die das Ergebnis *entscheidend* beeinflußt haben.

Das *wörtliche Protokoll* ist im Regelfall die Abschrift eines Stenogramms oder einer Tonbandaufnahme und ist nur zu besonderen, ausdrücklich vereinbarten Anlässen erforderlich.

Das *Gedächtnisprotokoll* bildet eine meist ergebnisorientierte Niederschrift, die vorwiegend aus dem Gedächtnis im Anschluß an eine Sitzung angefertigt wird. Diese Form des Protokolls dient entweder der Dokumentation für ausschließlich persönliche Verwertungszwecke oder wird dann angefertigt, wenn aus unterschiedlichen Gründen erst im nachhinein ein Protokollant benannt wird.

Unabhängig von der Art des Protokolls sind folgende Regeln bei der *Gestaltung des Protokolls* zu beachten:

(1) Das Protokoll enthält ein Deckblatt, auf dem folgende Angaben in dieser Reihenfolge verzeichnet werden:

Institution (z. B. Hochschule)
Fakultät/Fachbereich (ggf.)
Fach (ggf.)
Seminar-, Tagungsthema
Leitung der Sitzung
Datum der Sitzung
Protokollant
Teilnehmer (ggf.):

PROTOKOLL

Thema der Sitzung

Gliederung/Tagesordnungspunkte

1) ....
2) ....
3) ....
4) ....

etc.

Auf dem Deckblatt werden, soweit es möglich ist, die Tagesordnungspunkte (TOP) oder eine vom Protokollanten zu entwerfende Gliederung in Form von Themenstichwörtern aufgeführt.

(2) Falls Aufgaben, Termine und Maßnahmen vereinbart werden, kann man sie an den Anfang des Protokolls stellen.

(3) Im Falle von Literaturangaben sind die bibliographischen Angaben zu überprüfen und am Ende des Protokolls, alphabetisch nach Autoren geordnet, aufzuführen.

(4) Das eigentliche Protokoll wird grundsätzlich analog zur Reihenfolge der Tagesordnungspunkte niedergeschrieben, auch wenn die Tagesordnungspunkte innerhalb der Sitzung ausgetauscht werden. In Seminaren, in denen z. B. keine formale Tagesordnung vorgesehen ist, erfolgt die Niederschrift nach der thematischen Gliederung, die der Protokollant erstellt.

Zur besseren Übersichtlichkeit sind häufig Absätze zu verwenden und ein breiter Rand für mögliche spätere Ergänzungen zu lassen. Grundsätzlich ist der Sprachstil des Protokolls rein sach- und ergebnisorientiert. Formelhafte Wendungen wie: Nachdem X jene Ausführungen beendete, wies Y darauf hin – oder: Anschließend ergriff Z das Wort, sind zu vermeiden. Das Protokoll ist durchgehend im Präsens oder Imperfekt abzufassen, ein Tempuswechsel ist möglichst nicht vorzunehmen.

2. Stufenplan einer schriftlichen wissenschaftlichen Arbeit

Wissenschaftliche Forschungsthemen oder auch aus ihnen abgeleitete Hausarbeits- und Seminarthemen zielen in zwei Richtungen: erstens auf die Weiterentwicklung der Theorie und die Aufdeckung neuer Gesetzmäßigkeiten und Strukturen, und zweitens auf die Bearbeitung von Einzelthemen, ausgehend von gesicherten theoretischen und empirischen Grundlagen.

In beiden Fällen empfiehlt sich für die Anfertigung einer schriftlichen Arbeit in der Regel folgendes Vorgehen:

Phase 1   Thematische Grobgliederung
Dazu sind folgende Arbeitsschritte erforderlich:
- Wahl, Abgrenzung des Themas
- Erste Sichtung des Materials
- Formulierung von möglichen Gliederungspunkten und Schlagworten
- Erstellung einer vorläufigen Literaturliste
- Erstellung eines Zeitplans, falls erforderlich.

In dieser Phase ist es wichtig, sich über das zu bearbeitende Thema und das Ziel der Arbeit klar zu werden. Dabei ist es erforderlich, je nach zur Verfügung stehender Arbeitszeit und jeweiligem Hintergrundwissen, eine Abgrenzung des Themas vorzunehmen; auch danach, inwieweit man in der Lage ist, die womöglich hinzuzuziehende fremdsprachige Literatur lesen zu können. Gerade in der Soziologie wird man selten ohne den Rückgriff auf fremdsprachige Publikationen auskommen.

Die Vorarbeit in der *Phase 1* besteht dann darin, auf der Grundlage seiner Kenntnisse und der ersten Sichtung der Literatur ein gegebenes Thema auf mögliche Gesichtspunkte, Problemstellungen und Lösungsmöglichkeiten abzufragen und gegebenenfalls planvoll zu begrenzen. Dabei ist es wichtig, sich nicht von vornherein auf nur eine Lösungsmöglichkeit festzulegen, sondern verschiedene alternative Bearbeitungsmöglichkeiten zu erfassen. Die Erfahrung zeigt, daß eine bereits vorliegende Abhandlung zu einem anderen oder ähnlichen Aspekt desselben Themas einen konstruktiven Ansatz für die eigene Vorgehensweise liefert.

Als Arbeitsresultat der Phase 1 ist eine zunächst noch unsystematische Grobgliederung zu erstellen. Am besten ist es, sich einen ungefähren Arbeitsplan zu machen, der dann im Laufe der Arbeit immer wieder aktualisiert und stärker präzisiert wird.

Phase 2   Quellen- und Literaturstudium
Dazu sind folgende Arbeitsschritte erforderlich:
- Literaturrecherche
- Quellenstudium

- Literaturstudium
- ggf. empirische Untersuchungen/Erhebungen
- Stoffsammlung
- Stoffauswahl
- Stoffordnung
- Arbeitshypothesen.

Die Phase 2 ist der umfassendste Abschnitt bei der Anfertigung einer schriftlichen Arbeit. Literatur- und Quellenrecherchen, Stoffsammlung mittels Exzerpte und Stoffordnung nehmen etwa zwei Drittel der insgesamt zur Verfügung stehenden Zeit in Anspruch.

Man beginnt mit einer systematischen Literaturrecherche, in deren Verlauf man sich der bibliographischen Hilfsmittel bedient (zur Vorgehensweise vgl. das Kapitel: Wie findet man soziologische Literatur?). Ein gründliches Quellen- und Literaturstudium folgt, um sich den gegenwärtigen Erkenntnisstand zu erarbeiten. Stoffsammlung, Stoffauswertung und Stoffordnung sollten parallel verlaufen, damit man möglichst frühzeitig zu einer ersten ausführlichen Gliederung kommt.

Ausgehend von der ausgewerteten Literatur ist eine Arbeitshypothese aufzustellen. Mit ihr gibt man eine vorläufige Antwort auf die mit dem Thema gestellte Frage. Im weiteren Verlauf wird diese Arbeitshypothese (Arbeitshypothesen) ständig präzisiert und korrigiert, um eine zielgerichtete und themagebundene Konzeption der wissenschaftlichen Arbeit zu ermöglichen.

Phase 3   Der Rohentwurf
Dazu sind folgende Schritte erforderlich:
- Gliederung/Plan
- Stichwortfassung
- Rohentwurf
- Materialauswertung
- ggf. Auswertung von empirischen Untersuchungen.

Die Materialsammlung und die Aufstellung der Arbeitshypothese bilden die Grundlage für die eigentliche Gliederung und den Plan der Arbeit. Es folgt eine z. T. auch schon ausformulierte Stichwortfassung, in deren Verlauf der Stoff noch einmal neu gegliedert und umgruppiert werden kann. In dieser Phase arbeitet man zweigleisig: am Rohentwurf und an der Überarbeitung der Gliederung. Besonders die Feinabstimmung in der Disposition ist wichtig, um das oft überreiche Material logisch richtig zu ordnen und thematisch gezielt aufzubauen. Ebenso bedeutend ist die parallele Abfassung des Rohentwurfs, um bereits Hinweise auf Umfang und Gewichtsverteilung der Arbeit zu erhalten. Mögliche Unausgewogenheiten einzelner Abschnitte lassen sich in diesem Stadium leicht bereinigen (Standop 1975, S. 25).

Im Zuge der Erstellung des Rohentwurfs geht auch die Materialauswertung weiter, um die Argumentationsführung in der Arbeit abzusichern und anhand unterschiedlicher theoretischer Standorte die eigenen Arbeitshypothesen möglicherweise zu differenzieren. In den Rohentwurf wird gesammeltes Material eingearbeitet, Zitate und Anmerkungen werden formuliert und Untersuchungsergebnisse gegebenenfalls eingefügt. Nach Abschluß des Rohentwurfs wird die Stoffsammlung und -auswertung beendet.

Phase 4 *Der Hauptentwurf*
Dazu sind folgende Arbeitsschritte erforderlich:
- Feingliederung
- Ausarbeitung des Hauptentwurfs
- Inhaltsverzeichnis.

Die im Zuge der Materialauswertung gewonnenen Erkenntnisse und Ergebnisse finden in einer Feingliederung mit Inhaltserläuterungen und Thesen ihren Niederschlag. Im Zusammenhang mit dieser Feingliederung werden die Proportionen der einzelnen Teilabschnitte annähernd festgelegt.

Anschließend beginnt man mit der eigentlichen Ausformulierung der Arbeit. Sollten im Verlauf der Ausarbeitung noch neue Gesichtspunkte auftreten, werden sie zurückgestellt, um zu verhindern, daß ein bereits teilweise ausgearbeiteter Entwurf ständig umgeschrieben wird.

Der Hauptentwurf wird von Beginn an nacheinander formuliert. Dabei sollte man einen breiten Rand lassen, um spätere

Korrekturen und Ergänzungen zu ermöglichen. Aus dem Hauptentwurf geht die endgültige Gliederung hervor, die dann das Inhaltsverzeichnis bildet.

Phase 5   Reinschrift
Dazu sind folgende Arbeitsschritte erforderlich:
– Gesamtkontrolle
– Korrekturen
– Reinschrift.

Nach Fertigstellung des durchformulierten Hauptentwurfs ist eine umfassende Gesamtkontrolle vorzunehmen. Sie bezieht sich auf die Gliederung, auf Literaturangaben, Zitierweisen, Fußnoten, sprachlichen Ausdruck, logische Klarheit der Argumentation und auf das Literaturverzeichnis. Die meist zahlreich anfallenden Korrekturen werden in den Hauptentwurf handschriftlich eingefügt oder es wird der ältere Text überklebt, und die entsprechenden Passagen werden neu geschrieben.

Die Reinschrift wird maschinenschriftlich auf der Grundlage des korrigierten Hauptentwurfs angefertigt.

Es empfiehlt sich dabei, die schriftliche wissenschaftliche Arbeit mit einem Textverarbeitungsprogramm am Computer zu schreiben, vor allem, wenn es sich um umfangreichere Arbeiten handelt. Die während der Abfassung einer Arbeit immer wieder anfallenden Korrekturen lassen sich auf diese Weise einfacher und schneller vornehmen. Dies spart nicht nur Zeit, sondern auch sehr viele Nerven. Dazu ist es nicht unbedingt notwendig, ein eigenes EDV-Gerät zu besitzen, denn heute stehen den Studierenden an fast allen Universitäten in sogenannten EDV-Räumen in ausreichender Zahl PCs zur Benutzung zur Verfügung.

Je nach Art der anzufertigenden Arbeit wird der Stufenplan der wissenschaftlichen Arbeit verschiedene Schritte auch zusammenfassen. Das Fünf-Phasen-Schema dient lediglich als Richtlinie, die je nach Situation entsprechend den eigenen Bedürfnissen modifiziert werden kann.

3. Aufbau einer schriftlichen Arbeit

Gesamtanlage der Arbeit. Eine wissenschaftliche Arbeit besteht gewöhnlich aus drei Gliederungsteilen, den Präliminarien, dem eigentlichen Textteil und dem Anhang.

Folgende Reihenfolge ist bei der Anordnung des Materials zu berücksichtigen:

Präliminarien:
1. Titelblatt
2. Vorbemerkung/Vorwort
3. Inhaltsverzeichnis
4. Abbildungsverzeichnis
5. Tabellenverzeichnis
6. Abkürzungsverzeichnis

Textteil:
7. Einleitung
8. Haupttext
9. Zusammenfassung

Anhangteil:
10. Anhangverzeichnis
11. Anhang I, Anhang II, ...
12. Literaturverzeichnis, Bibliographie
13. Quellenverzeichnis
14. Register (Personen-, Sachregister)
15. angeheftete Faltbeilagen

Je nach Art der Arbeit wird nur ein Teil dieses Materials berücksichtigt. So wird eine Seminararbeit z. B. in der Regel ohne Vorwort, Abkürzungsverzeichnis, Anhang und Register auskommen, während eine Prüfungsarbeit durchaus eine Vorbemerkung oder auch einen Anhang enthalten kann.

a) Gestaltung des Titelblatts

Bei Prüfungsarbeiten wie z. B. Dissertationen, Diplomarbeiten etc. bestehen für die Gestaltung des Titelblatts in der Regel ge-

naue Fakultäts- oder Fachbereichsvorschriften, die zu berücksichtigen sind.

Sofern für die textliche Anordnung des Titelblatts, wie z. B.
bei Seminararbeiten, spezifische Regelungen fehlen, empfiehlt
sich nebenstehende Gestaltung.

Empfehlungen
- Die Studienbezeichnung des Verfassers sowie die Fachsemesterzahl sind auf der Titelseite anzugeben, also z. B. stud.
  phil. (8. Semester).
- Der Vorname des Verfassers ist auszuschreiben.
- Die Angaben auf der Titelseite werden auf drei Zeilengrup-
  pen verteilt.
- Eine Zentrierung des Textes auf die Seitenmitte wird traditionell empfohlen, ist aber nicht erforderlich. Die Klarheit des
  Titelblatts ist auch durch einen linksbündigen Anschlag gewährleistet.

b) Vorbemerkung/Vorwort

Vorbemerkung und Vorwort bilden zwei Arten eines persönlich
gefärbten »Begleitbriefs« zu einer wissenschaftlichen Arbeit
(Gerhards 1973, S. 31). Sie dienen dazu, klärende Mitteilungen
über die Arbeit abzugeben und sind ausdrücklich kein Text-
bestandteil. Vorbemerkungen kommen in erster Linie für kleinere Arbeiten wie z. B. Fachaufsätze, Seminar- und Prüfungsarbeiten infrage, während Vorworte vorwiegend vor größeren
Arbeiten wie Dissertationen oder Buchpublikationen stehen
können.

Vorbemerkungen enthalten z. B. Hinweise auf besondere
Schwierigkeiten bei der Verfassung einer Arbeit, auf möglicher-
weise nötig gewordene thematische Einschränkungen, eventuell
Hinweise auf wichtiges, aber aus anzugebenden Gründen nicht
berücksichtigtes Schrifttum, Dank für Anregungen, finanzielle
Hilfen etc.

Vorworte können ähnliche Bemerkungen enthalten, zudem
werden meist Gründe zur Themenwahl, Sinn und Zweck der

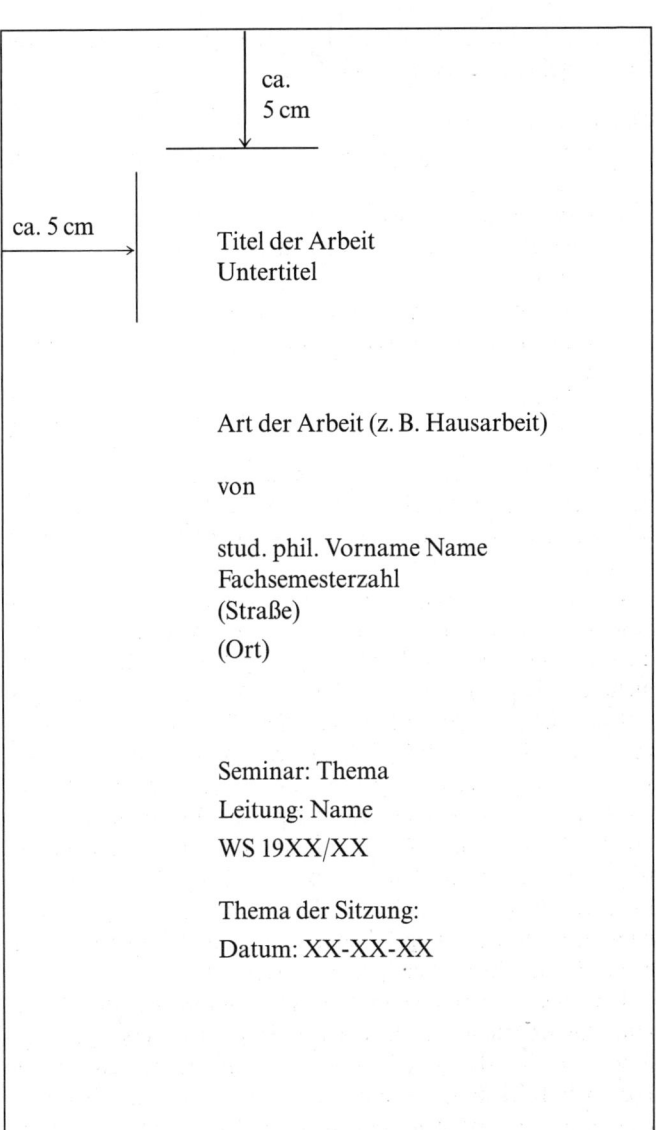

ca.
5 cm

ca. 5 cm

Titel der Arbeit
Untertitel

Art der Arbeit (z. B. Hausarbeit)

von

stud. phil. Vorname Name
Fachsemesterzahl
(Straße)
(Ort)

Seminar: Thema
Leitung: Name
WS 19XX/XX

Thema der Sitzung:
Datum: XX-XX-XX

Arbeit, persönliche Absichten des Verfassers und Bemerkungen zur Entstehung der Arbeit aufgeführt.

Empfehlungen

- Eine Vorbemerkung sollte eine Seite, ein Vorwort zwei Seiten nicht überschreiten.
- Eine Vorbemerkung wird nicht unterschrieben, ein Vorwort ist dagegen mit Ort, Datum und Namen des Verfassers zu versehen.
- Die Seite mit dem Vorwort bzw. der Vorbemerkung wird vor dem Inhaltsverzeichnis eingeordnet und enthält keine Seitenangabe.

c) Inhaltsverzeichnis

Das Inhaltsverzeichnis enthält die lückenlose Darstellung der gesamten Gliederung einer Arbeit. Statt der Bezeichnung Inhaltsverzeichnis sind auch Inhaltsübersicht oder einfach Inhalt üblich.

In das Inhaltsverzeichnis sind sämtliche Gliederungsabschnitte einer schriftlichen Arbeit aufzunehmen, d. h. auch die Präliminarien wie z. B. Vorwort, Abbildungsverzeichnis etc., nicht jedoch das Inhaltsverzeichnis selbst.

Der wichtigste Grundsatz zur Erstellung eines Inhaltsverzeichnisses ist, daß jede im Inhaltsverzeichnis aufgeführte Überschrift mit exakt demselben Wortlaut im Text der Arbeit wieder erscheint. Es ist falsch, Gliederungspunkte überhaupt nicht, gekürzt oder verändert in das Inhaltsverzeichnis aufzunehmen, wie es andererseits auch unkorrekt ist, Überschriften in das Inhaltsverzeichnis aufzunehmen, die im Text gar nicht vorkommen. Eine weitere Regel lautet, daß zum Inhaltsverzeichnis grundsätzlich die Seitenangabe gehört.

Üblicherweise werden im Inhaltsverzeichnis auch die Einordnungskennzeichen der einzelnen Gliederungsüberschriften erfaßt, d. h. daß das jeweils gewählte Klassifizierungssystem in Form von Buchstaben oder Zahlen (z. B. Dezimalklassifikation) nicht nur den Textteil aufschlüsselt, sondern bereits im Gesamtzusammenhang der Inhaltsgliederung sichtbar wird (vgl. den

Abschnitt über das Gliederungssystem einer schriftlichen Arbeit). Allerdings braucht nicht alles im Inhaltsverzeichnis und im Textteil mit Ordnungsmerkmalen versehen zu sein. Man kann auch Kapitel und Abschnitte durch einfache Stich- oder Schlagworte förmlich unterteilen (Standop 1975, S. 38).

Einleitung und Zusammenfassung werden im Regelfall ohne Einordnungsziffern in das Inhaltsverzeichnis aufgenommen (vgl. die Gliederungsbeispiele auf S. 132 f.).

d) Abbildungsverzeichnis

Falls Abbildungen, z. B. in Form von Graphiken, Diagrammen etc., in einer schriftlichen Arbeit vorkommen, empfiehlt es sich, ein Abbildungsverzeichnis mitzuliefern. Der Aufbau erfolgt analog zum Inhaltsverzeichnis und besteht aus drei Angaben: a) der Abbildungs-Nr., b) der Abbildungsüberschrift und c) der Seitenzahl.

Beispiel:

Abbildungsverzeichnis

Abbildung		Seite
1	Aufteilung des Pkw-Bestandes nach der sozialen Stellung	27
2	Anteil der Gesundheitskosten am Sozialprodukt	38
3	Häufigkeit der Arbeitsunfälle nach der sozialen Stellung	56
etc.		

e) Tabellenverzeichnis

Der Aufbau eines Tabellenverzeichnisses erfolgt wie der des Abbildungsverzeichnisses.

Falls nur wenige Abbildungen und Tabellen in einer Arbeit vorkommen, ist ein gemeinsames Verzeichnis empfehlenswert. Als Überschrift kommt die Bezeichnung ›Abbildungs- und Tabellenverzeichnis‹ in Betracht.

Beispiel:

Abbildungs- und Tabellenverzeichnis

Darstellung	Seite
1 Dimensionen sozialer Ungleichheit	11
2 Schichtungsmerkmale in Industrie-gesellschaften	18
3 Erwerbstätige Personen nach Geschlecht und Stellung im Beruf 1961 und 1970 in %	48

etc.

Alle Abbildungen, Tabellen, Diagramme, graphischen Darstellungen sind im Text fortlaufend zu numerieren und mit einer Überschrift zu versehen, die im Abbildungs- und Tabellenverzeichnis wortgetreu wieder aufgeführt wird.

f) Abkürzungsverzeichnis

Das Abkürzungsverzeichnis bildet den letzten Gliederungsteil einer Arbeit vor dem eigentlichen Text. In das Abkürzungsver-

Beispiel:

Abkürzungsverzeichnis

BA	Bundesanstalt für Arbeit
EVS	Einkommens- und Verbrauchsstichprobe
GG	Grundgesetz der Bundesrepublik Deutschland
MZ	Mikrozensus
SPES	Sozialpolitisches Entscheidungs- und Indikatorensystem
SSIP	Sozialwissenschaftlicher Studienkreis für internationale Probleme.

etc.

zeichnis werden alle jene im Text verwendeten Abkürzungen aufgenommen, deren Bedeutung nicht allgemein bekannt ist. Abkürzungen wie Unesco, z. B., a.a.O., Bd., Verf. etc. werden daher nicht verzeichnet. Dagegen können aufgenommen werden die Abkürzungen von Gesetzen, Verordnungen, Handbüchern, Lexika, Zeitschriften, Körperschaften, Ämtern, Verbänden usw. Auch sinnvolle eigene Abkürzungen werden verzeichnet (vgl. den Abschnitt über die Verwendung von Abkürzungen). Die Abkürzungen werden in alphabetischer Reihenfolge aufgeführt.

g) Einleitung

Der eigentliche Haupttext einer Arbeit besteht im Regelfall aus Einleitung, Hauptteil und Schluß bzw. Zusammenfassung. Allerdings ist eine förmliche Einleitung, namentlich bei Seminararbeiten, nicht unbedingt notwendig; die Darstellung kann ohne weiteres mit dem ersten Kapitel beginnen (Standop 1975, S. 32).

In der Einleitung (wahlweise dem ersten Kapitel einer schriftlichen Arbeit) wird meist ein historischer Überblick über die Problemstellung gegeben. Damit wird man in vielen Fällen bereits dem Anspruch der Einleitung gerecht, dem Leser klar zu machen, auf welcher Grundlage der Verfasser aufbaut und womit er sich im weiteren Verlauf der Arbeit beschäftigen will. Ferner können in der Einleitung folgende Aspekte behandelt werden: a) Abgrenzung des Themas, b) Stand der Forschung, c) Methode oder Verfahren der Arbeit, d) Hinweise auf das verwendete und vorgefundene Literaturmaterial, e) Überblick über den inhaltlichen Aufbau und f) Ziel der Arbeit.

Der Umfang einer Einleitung schwankt zwischen einer und fünf Seiten. Sollten allerdings ausführliche theoretische Vorbemerkungen in die Einleitung einbezogen werden, wird sie entsprechend länger sein. In diesen Fällen ist es gerechtfertigt, auch die Einleitung analog zum Hauptteil zu untergliedern.

h) Hauptteil

Der Hauptteil einer theoretischen wissenschaftlichen Arbeit ist in seiner Gliederung vom Charakter der Arbeit abhängig (zur formalen Gliederung vgl. den Abschnitt »Gliederungstechnik« in diesem Kapitel).

Empirische Arbeiten werden zweckmäßigerweise in a) einen theoretischen Teil, b) einen methodischen Teil sowie in die Abschnitte c) Ergebnisse der Untersuchung und d) Diskussion unterteilt. Sehr ins einzelne gehende empirische Erhebungsdaten können auch in einem gesonderten Anhangteil aufgeführt werden.

Im theoretischen Teil wird der gegenwärtige theoretische Wissensstand zum Forschungsproblem dargestellt. Im folgenden Abschnitt »Methode« werden die für die Datenerhebung benutzten Methoden beschrieben. Anschließend werden unter Berücksichtigung der Fragestellung die Ergebnisse der Untersuchung vorgestellt, und in der Diskussion schließlich erfolgt in der Regel der Vergleich der im theoretischen Teil aufgestellten Hypothesen mit den empirischen Befunden.

i) Schluß

Als Überschrift für das Schlußkapitel empfehlen sich die Bezeichnungen: Zusammenfassung, Schlußbetrachtung oder Ausblick (auf ungelöste Probleme). Das Schlußkapitel enthält eine straffe Zusammenfassung der Hauptfragestellung und der wichtigsten Ergebnisse einer Arbeit. Sie werden zumeist thesenartig herausgearbeitet und in klaren kurzen Sätzen formuliert. Nebenergebnisse, Anmerkungen und Angaben von Quellen gehören nicht in eine Zusammenfassung.

Folgende Punkte können in einer Zusammenfassung behandelt werden:

- Ausgangsfrage
- Hauptgedanken und Ergebnisse
- Einbindung der Ergebnisse in eine übergeordnete Problemstellung
- Bewertung der wichtigsten Ergebnisse
- Ausblick auf noch ungelöste Probleme

j) Anhang

Schriftliche Arbeiten, in denen ein gesonderter Anhang enthalten ist, sind vorwiegend empirische Arbeiten. Im Anhang werden als Sondergliederungsteile z. B. Tabellen, Graphiken, statistische Auswertungen, Fragebögen, Erhebungsmaterial etc. untergebracht; allerdings steht dieses Material nur dann im Anhang, wenn es im Ausführungsteil der Arbeit störend wirken würde.

Empfehlungen zum Aufbau.

Gliederung: Jeder in sich geschlossene Anhangteil wird mit einer seinen Inhalt kennzeichnenden Überschrift versehen. Besteht ein Anhang aus mehreren in sich geschlossenen Teilen, wird der jeweilige Anhangteil mit einem Einordnungskennzeichen (römische Ziffer) versehen, also z. B. Anhang I, Anhang II; anschließend folgt die zugehörige Überschrift.

Seitenzählung: Alle Seiten des Anhangs werden im Anschluß an den Haupttext weiter fortlaufend durchnumeriert.

Schreibweise: Für den Textteil des Anhangs ist die einfache Zeilenschaltung vorzusehen (im Gegensatz zum Haupttext).

Allgemeine Regeln: Abbildungen und Tabellen des Anhangs werden nicht im Abbildungs- oder Tabellenverzeichnis der Arbeit aufgeführt. Dagegen muß die Überschrift »Anhang« in das Inhaltsverzeichnis aufgenommen werden. Anmerkungen, Quellenangaben etc. werden wie im übrigen Textteil einer schriftlichen Arbeit gehandhabt.

k) Literaturverzeichnis/Bibliographie

Im Literaturverzeichnis bzw. Schrifttumsverzeichnis wird die im Zuge der Stoffsammlung herangezogene und im Textteil zitierte Literatur aufgeführt. Es werden nur solche Werke verzeichnet, die im Manuskript auch wirklich verarbeitet worden sind; nicht aufgeführt werden dagegen Schriften, die zwar eine Beziehung zum behandelten Thema haben, aber vom Verfasser nicht eingesehen oder berücksichtigt wurden. Legt man dagegen Wert darauf, auch weiterführende Schriften ins Literaturverzeichnis aufzunehmen, fertigt man eine selektive Bibliographie an, die das Schrifttum nach bestimmten, den jeweiligen Erfordernissen entsprechenden Kriterien erfaßt. (Vgl. den Abschnitt in Kapitel III über Aufbau und Benutzbarkeit von Bibliographien.)

Ins Literaturverzeichnis aufgenommen wird veröffentlichtes, unveröffentlichtes, vervielfältigtes Schrifttum, nicht dagegen nicht-vervielfältigtes Material, z. B. briefliche und mündliche Mitteilungen, nicht-autorisierte Mitschriften etc.

Ordnungsgesichtspunkte. Die Ordnung des Literaturverzeichnisses erfolgt in aller Regel alphabetisch nach Verfassernamen. Es ist üblich, »alles ohne Rücksicht auf seinen Charakter in einer Liste zu bringen« (Standop 1975, S. 73), d. h. das Literaturverzeichnis wird nicht mehr in sich unterteilt.

Nur bei sehr umfangreichen Verzeichnissen ist es möglich, aber nicht erforderlich, nach formalen Gesichtspunkten (z. B. Bücher, Zeitschriften, Hochschulschriften, Quellen) zu trennen oder aber nach dem Inhalt der Literatur zu unterscheiden.

Empfehlungen zur Schreibweise bibliographischer Angaben

(1) *Vorname des Verfassers.* Die Vornamen der Verfasser sind möglichst auszuschreiben. Ist der Vorname nicht zu ermitteln, sind anstelle des Vornamens die Worte »ohne Vornamen« in Klammern zu setzen.

(2) *Keine Verfasserangabe.* Enthält eine Abhandlung oder ein Text keine Namensangabe des Verfassers, wird dieses Werk nach dem ersten Substantiv des Titels eingeordnet.

(3) *Verwendung von Adelstiteln.* Angaben von Adelstiteln werden hinter die Vornamen gesetzt, z. B. »Wiese, Leopold von« oder »Heydte, Friedrich Frh. von der«.

(4) *Schreibweise bei zwei/drei Autoren:* Ist ein Werk von zwei oder drei Autoren verfaßt, werden Familiennamen und Vornamen aller Verfasser angegeben. Zwischen den Namen der einzelnen Mitverfasser steht ein »und«, um Verwechslungen zu vermeiden. Nur der Vorname des ersten Verfas-

sers wird nachgestellt; die Vornamen des zweiten und ggf. dritten Verfassers stehen vor dem Familiennamen.

(5) *Schreibweise bei mehr als drei Autoren.* Ist eine Schrift von mehr als drei Autoren verfaßt, werden nur Familienname und Vorname des ersten Verfassers unter Hinzufügung der Abkürzung »u. a.« (und andere) angegeben.

(6) *Zeichensetzung.* Name des Verfassers und Buchtitel sind durch einen Doppelpunkt voneinander zu trennen. Titel, Ort und Jahr werden durch Kommata getrennt. Alternativ läßt sich auch hinter Verfasser, Titel, Ort und Jahr ein Punkt setzen. Untertitel werden vom Titel durch einen einfachen Punkt getrennt.

Am Ende der bibliographischen Angaben kann ein Punkt stehen.

(7) *Auflagenangabe.* Existieren von einem Text mehrere Auflagen, so ist die benutzte Auflage zu nennen. Das Wort Auflage ist abzukürzen (Aufl.).

Häufig ist es informativ, das Jahr der Erstauflage als Hinweis über das Alter eines Werkes in eckigen Klammern mit anzuführen. Hierfür genügt die Kurzform, z. B. Bebel, August: Die Frau und der Sozialismus, 61. Aufl., Berlin 1964 [[1]1883].

(8) *Angabe von Erscheinungsorten.* Sind in einer Publikation bis zu drei Erscheinungsorte (dies sind Verlagsorte, nicht Druckorte) aufgeführt, sind alle Erscheinungsorte im Literaturverzeichnis anzugeben (also z. B. Heidelberg, Bonn und Kiel). Die im Text vorgefundene Reihenfolge der Erscheinungsorte ist nicht zu verändern. Sind dagegen mehr als drei Erscheinungsorte genannt, ist nur der erste Ort unter Hinzufügung der Abkürzung »usw.« anzugeben (also z. B. Freiburg usw.).

(9) *Schreibweise bei fehlenden Orts-/Jahresangaben.* Fehlen in einem Literaturtitel Erscheinungsort oder Erscheinungsjahr – oder sogar beides – wird dies im Literaturverzeichnis durch folgende Angaben kenntlich gemacht: o. O. (= ohne Ortsangabe) bzw. o. J. (= ohne Jahresangabe) oder o. O. u. J. (= ohne Orts- und Jahresangabe). Falls man aus

anderen Quellen das ungefähre Erscheinungsjahr weiß oder vermutet, ist es angebracht, diese Angabe in eckige Klammern zu setzen, also z. B. [1934?].

(10) *Schreibweise des Titels.* Für die Schreibweise des Titels ist das Titelblatt der Veröffentlichung maßgeblich.

Beispiele für die Schreibweise bibliographischer Angaben

(1) *Ein Autor*

Luhmann, Niklas: Soziologische Aufklärung, Bd. 1, 4. Aufl., Opladen, 1976 [¹1970]

Die Reihenfolge der Angaben ist:

Familienname

Vorname

ggf. Adelstitel

Haupttitel der Veröffentlichung

ggf. Untertitel der Veröffentlichung

ggf. Band (Bd.)

Erscheinungsort

Erscheinungsjahr

ggf. Erscheinungsjahr der 1. Auflage

ggf. Name der Reihe, wenn das Buch fester Bestandteil einer Reihe ist, sowie Bandnummer in der Reihe.

(2) *Zwei und drei Autoren*

Prim, Rolf und Heribert Tilmann: Grundlagen einer kritisch rationalen Sozialwissenschaft. Studienbuch zur Wissenschaftstheorie, 3., erw. Aufl., Heidelberg 1977.

(3) *Autor und Herausgeber*

Parsons, Talcott: Zur Theorie sozialer Systeme, hg. von Stefan Jensen, Opladen 1976.

(4) *Sammelwerke.* Sammelwerke, an denen mehrere Autoren mitgewirkt haben, werden unter dem Namen des Herausgebers angeführt.

Käsler, Dirk (Hg.): Klassiker des soziologischen Denkens, Bd. 1, München 1978.

(5) *Autor unbekannt*

Das Nibelungenlied, nach der Ausg. von Karl Bartsch, hg. von Helmut de Boor, 14. Aufl., Wiesbaden 1957.

(6) *Institution als Autor*
Bundesministerium für Arbeit und Sozialordnung:
Sozialbericht 1976, Bonn 1977.

(7) *Mehrbändige Werke*
Jonas, Friedrich: Geschichte der Soziologie, 4 Bde., Reinbek 1968.

(8) *Hochschulschriften*
Kahn, Myrthe: Die Frauenerwerbsarbeit in der Schweiz, Diss. Basel 1955.
Für die Diplomarbeit ist die Abkürzung DiplArb., für die Habilitationsschrift die Abkürzung HabilArb. gebräuchlich.

(9) *Wörterbücher, Lexika (ohne namentlich gekennzeichnete Artikel)*
Hartfiel, Günter: Wörterbuch der Soziologie, Stuttgart 1972, Stichwort »Rolle«.

(10) *Handwörterbücher, Wörterbücher mit von Verfassern gezeichneten Artikeln*
König, René: Artikel »Anpassung« in: Wörterbuch der Soziologie, 2. Aufl., hg. von Wilhelm Bernsdorf, Stuttgart 1969, S. 29ff.
Die Reihenfolge ist:
Verfasser
Titel des Beitrags (ggf. mit Angabe der Veröffentlichungsart: Sonderdruck aus, Artikel, Stichwort etc.)
Titel des Sammelwerkes
Herausgeber des Sammelwerkes
Erscheinungsort/-jahr
Seitenangabe

(11) *Sammelwerke, Artikelsammlungen* (wenn auf einen bestimmten Artikel abgestellt wird)
Merton, Robert K.: Funktionale Analyse, in: Moderne Amerikanische Soziologie, hg. von Heinz Hartmann, Stuttgart 1967, S. 119ff. (Reihenfolge der Angaben vgl. Punkt 10).

(12) *Sonderdruck*
Oetjens, Hermann: Kritischer Rationalismus und Rechts-

soziologie, Sonderdruck aus: Rechtssoziologie und Rechtspraxis, hg. von Wolfgang Naucke/Paul Trappe, Neuwied und Berlin 1970, S. 11 ff.

(13) *Zeitschriftenaufsatz*

Tyrell, Hartmann: Anfragen an die Theorie der gesellschaftlichen Differenzierung, in: Zeitschrift für Soziologie 7 (1978), S. 175–193.

Bei Zeitschriften verzichtet man auf die Angabe des Erscheinungsorts und der Heftnummer, wenn die Seitenzählung, was meistens üblich ist, einen Jahrgang durchläuft. Hat jedes Heft einer Zeitschrift eine eigene Seitenzählung, wird die Heftnummer hinter der Jahresangabe angegeben. Das Erscheinungsjahr wird in Klammern gesetzt; der Jahrgang wird vor die Klammer gesetzt. Statt des ausgeschriebenen Titels der Zeitschrift kann man auch Siglen verwenden, in diesem Fall also ZfS.

(14) *Zeitungen*

Biske, Käthe: Ausmaß und Bedeutung der Frauenarbeit, in: Neue Zürcher Zeitung, Nr. 3713 vom 10. September 1965, S. 5.

Bei Zeitungen gibt man das Datum der Erscheinung und die laufende Nr. der Ausgabe an. Der Monatsname wird ausgeschrieben.

(15) *Rezension*

Matthes, Joachim [Rez.]: Niklas Luhmann, Funktion der Religion, (Frankfurt/M. 1977), in: Soziologische Revue 1 (1978), S. 5 ff.

(16) *Graue Literatur* (vervielfältigte, aber nicht publizierte, d. h. über den Buchhandel erhältliche Literatur). Für die Aufnahme in das Literaturverzeichnis ist das Einverständnis des Verfassers erforderlich.

Jahn-Zimmermann, Brigitte 1990: …, Diskussionspapier zum Forschungscolloquium „Image als soziologischer Begriff" am Lehrstuhl für Soziologie, Universität Hohenheim (Ms. vervielfältigt).

(l) Quellenverzeichnis

Ein vom Literaturverzeichnis getrenntes Quellenverzeichnis ist grundsätzlich nicht erforderlich, empfiehlt sich allerdings in Fällen, in denen sich der Text auf besonders zahlreiche Quellen stützt.

In das Quellenverzeichnis werden in der Regel jene Texte aufgenommen, bei denen der Verfasser als solcher hinter eine juristische Person zurücktritt, z. B. ein öffentliches Organ, eine Institution, eine Behörde, einen Verband etc.

Unter Quellen fallen z. B.

- Verfassungen, Gesetze, rechtliche Verordnungen aller Art
- Dokumente des Gesetzgebungsverfahrens (Referentenentwürfe, Gutachten, Protokolle etc.)
- Gerichtsurteile
- Statuten und Satzungen von Vereinen und Verbänden
- Statistiken
- Jahresberichte von Organisationen aller Art
- Tagungsberichte, Protokolle
- Agenturmeldungen, Presseveröffentlichungen ohne Verfasserkennzeichnung
- Erhebungsmaterial etc.

Empfehlungen zum Aufbau

(1) Ordnung

Quellenverzeichnisse werden wie Literaturverzeichnisse alphabetisch geordnet.

(2) Ausländische Quellen

Ausländische Quellen, aus deren Titel nicht eindeutig hervorgeht, daß es sich um ausländische Quellen handelt, werden als solche durch entsprechende Angaben kenntlich gemacht.

(3) Art des Aufbaus

Da Quellen meist Abkürzungen enthalten, verzeichnet man zweckmäßigerweise die Quellen in zwei Kolonnen (vgl. den Abschnitt über das Abkürzungsverzeichnis)

- in der linken Kolonne die Abkürzung

– in der rechten Kolonne den voll ausgeschriebenen Titel
(Gerhards 1973, S.79).

Beispiel:

Quellenverzeichnis

ÖMuSchG   (Österreichisches) Bundesgesetz
über den Mutterschutz (Mutter-
schutzgesetz) vom 13. 3. 1957.

SchweizStatJb   Statistisches Jahrbuch der Schweiz
1969, hrsg. vom Eidgenössischen
Statistischen Amt, Basel o. J.

SozBer   (Deutscher) Sozialbericht 1970,
hrsg. vom Bundesminister für
Arbeit und Sozialordnung, Kassel,
1970.

4. Gestaltung einer wissenschaftlichen Arbeit

a) Einige Bemerkungen zum »Schreiben«

Zunächst stellt sich immer die Frage, an wen sich die wissenschaftliche Arbeit wendet. Diese Frage entscheidet nicht nur
über die äußere Form der Arbeit, sondern auch über das Maß
an Verständlichkeit. Es ist nicht einfach, einen Text zu verfassen, in dem alle Dinge so erklärt sind, daß alle sie verstehen. In
jedem Fall sollte man anstreben, alles klar zu formulieren und
gut zu erklären, denn der Leser hat nicht das gleiche Hintergrundwissen wie der Autor.

Vor allem sollten die verwendeten Begriffe definiert werden.
Es sei denn, es handelt sich um feststehende Begriffe einer Spe-
zialsoziologie, in der die Arbeit geschrieben wird. Als Regel gilt,
alle Fachbegriffe zu definieren, die in der Arbeit eine Schlüssel-
rolle spielen (Eco 1991, S. 184).

Hat man einmal festgelegt, wen man mit der Arbeit an-
spricht, so muß man entscheiden, wie man sich ausdrückt. Dabei ist es zu vermeiden, lange ineinander verschachtelte Sätze zu

schreiben. Es ist besser, die Sätze aufzuteilen und nicht zu viele Nebensätze zu formulieren. Auch sollten zu viele Pronomina vermieden werden, denn es muß immer nachvollziehbar sein, von was bzw. von wem die Rede ist.

Der Klarheit einer wissenschaftlichen Arbeit kommt auch entgegen, wann immer es notwendig ist, Absätze zu machen. Je öfter es der Text zuläßt, um so besser. Allerdings sollte es vermieden werden, auf willkürliche Weise Absätze vorzunehmen. Jeder Absatz enthält einen eigenen in sich geschlossenen Gedanken oder Argumentationsschritt. Schließlich sei noch darauf hingewiesen, daß in der Arbeit durchaus die eigene Auffassung zum Ausdruck gebracht werden kann. Insofern ist es auch zulässig, in der Ich-Form zu schreiben. Allerdings ist es besser, Personalpronomen zu vermeiden, indem man auf unpersönliche Ausdrücke ausweicht wie »Man kommt zu dem Schluß …«.

b) Manuskriptgestaltung

Text. Wissenschaftliche Arbeiten sind entweder mit Schreibmaschine auf DIN-A4-Bögen zu schreiben oder mit Hilfe eines Textverarbeitungsprogrammes auf dem PC zu verfassen. Letzteres hat den Vorteil, Korrekturen oder Veränderungen von Textpassagen und sogar das Anbringen von Fußnoten einfacher und damit auch schneller durchzuführen als auf der Schreibmaschine. Die Bögen werden nur einseitig beschrieben; die Zeilenschaltung ist eineinhalbzeilig. Nur Fußnoten werden einzeilig geschrieben.

Auf jeder Seite ist ein Rand vorzusehen. Oben, unten und links wird ein Rand von vier Zentimetern gelassen, der rechte Rand beträgt etwa zwei bis drei Zentimeter.

Textüberschriften. Überschriften sind möglichst knapp und treffend zu fassen und im Nominalstil zu formulieren. Sie entsprechen wortgetreu der Formulierung, wie sie im Inhaltsverzeichnis stehen.

Überschriften können nach moderner Schreibweise linksbündig geschrieben werden und brauchen nicht mehr optisch über der Mitte des Schriftbilds angeordnet zu werden.

Am besten setzt man die Überschriften, die einem Absatztitel entsprechen, unmittelbar vor den nachfolgenden Text und schließt mit einem Punkt.

Der Textteil einer Seite sollte nicht mit einer Überschrift enden – nach jeder Überschrift müssen mindestens zwei bis drei Zeilen des nachfolgenden Textes folgen.

Absätze. Jede schriftliche Arbeit sollte in möglichst klare, überschaubare Absätze gegliedert werden. Absätze, die mehr als eine Seite einnehmen, sollten möglichst vermieden werden.

Nach moderner Schreibweise muß das erste Wort eines neuen Absatzes nicht mehr eingerückt werden, auch dann nicht, wenn ihm eine Überschrift unmittelbar vorausgeht.

Seitenzählung (Paginierung). Die Angabe der Seitenzahlen erfolgt grundsätzlich in arabischen Ziffern; es ist auch nicht mehr üblich, Vorwort, Einleitung etc. mit römischen Ziffern zu versehen. Die Seitenzahlen stehen im Regelfall oben auf einer Textseite in der Mitte; sie können gegebenenfalls in Gedankenstriche gesetzt werden, also z. B. – 45 –. In vielen Fällen ist es üblich, zusätzlich unten auf einer Textseite die Seitenzahl der nächstfolgenden Seite anzugeben.

Die Seitenzählung beginnt stets mit der ersten maschinenbeschriebenen Seite, üblicherweise also mit dem Titelblatt, die Ziffern erscheinen jedoch erst von der ersten Textseite an, mit der in der Regel die »Einleitung« der Arbeit beginnt.

Hervorhebungen. Als Mittel zur Hervorhebung im Textteil dienen a) die Sperrschrift, b) die Unterstreichung und c) das Einrücken einer Zeile, meist mit vorangehendem Gedankenstrich. Großbuchstaben kommen dagegen als Mittel der Hervorhebung nicht infrage.

Mit der edv-technischen Textverarbeitung haben sich die Hervorhebungsmöglichkeiten in Texten enorm erweitert. Trotzdem gilt nach wie vor: Mit Hervorhebungen ist in aller Regel äußerst sparsam zu verfahren. Sie können in folgenden Fällen Anwendung finden (Standop 1975, S. 50 ff):

(1) Wörter und Wendungen, die nicht direkt zum Sprachschatz

des Verfassers gehören, in den Sprachstil des Textes passen oder zur Fachterminologie der Soziologie gehören. Durch die Hervorhebung wird kenntlich gemacht, daß man sich der Eigentümlichkeit einer Wendung oder eines Begriffs in einem bestimmten Zusammenhang bewußt ist.

(2) Fremdsprachliche Wörter und Ausdrücke, die zum Stil des Verfassers gehören und noch nicht als eingebürgert gelten.

(3) Titel von Büchern, Zeitschriften und Zeitungen, die im Textteil genannt werden.

(4) Einzelwörter. Wenn auf bestimmten Einzelwörtern die Betonung liegt, ohne daß dies aus dem syntaktischen Zusammenhang für den Leser ohne weiteres hervorgeht, werden sie durch Unterstreichung hervorgehoben, z. B.: wichtig ist, daß etwas geschieht.

(5) Wichtige Begriffe, die im Zuge der Darstellung diskutiert werden, sollten möglichst nur in seltenen Fällen und nur der Übersichtlichkeit wegen hervorgehoben werden.

(6) Schlagworte und Thesen. Wenn man innerhalb eines Kapitels verschiedene Gesichtspunkte thesenartig darstellen möchte, ist eine Hervorhebung durch Einrücken der jeweiligen Textzeile möglich, meist mit vorangehendem Gedankenstrich.

(7) Abschnittstitel. Überschriften im Textteil können durch Unterstreichen hervorgehoben werden.

Personennamen. Personennamen im Text werden in der Regel ohne Vornamen geschrieben. Eine Schreibweise mit Vornamen ist in folgenden Fällen angebracht: bei einer Rezension, im Falle der möglichen Verwechslung und falls man einen ganzen Abschnitt oder gar eine Abhandlung einer Person widmet. Bei Wiederholungen des Namens wird man nur noch den Familiennamen anführen.

Zahlen. Die Zahlen von eins bis zwanzig werden im Text und in den Fußnoten mit Buchstaben geschrieben; Zahlen über zwanzig werden dagegen durch arabische Ziffern ausgedrückt. Zehn, hundert, tausend etc. schreibt man wieder mit Buchstaben. Allerdings werden bei Gegenüberstellungen nur Ziffern angewendet (Beispiel: Von 30 Arbeitnehmern sind 17 Gastarbeiter). Römische Ziffern sind außer in Kapitelüberschriften nicht zulässig. In Tabellen werden ausschließlich Ziffern verwendet.

Jahreszahlen sind, falls nötig, durch einen Schrägstrich zu trennen, also z. B. 1970/80. Bei Anteilszahlen ist inzwischen sowohl die Abkürzung v. H. (von Hundert) als auch % zulässig.

Münzen, Maße und Gewichte. Die Bezeichnungen von Münzen, Maßen und Gewichten sind nur dann auszuschreiben, wenn es sich um wenig gebräuchliche handelt, ansonsten sind grundsätzlich nur die amtlichen Abkürzungen zu verwenden.

Städte- und Ländernamen. Bei Städte- und Ländernamen ist stets die deutsche Schreibweise anzuwenden, also z. B. Kanada statt Canada.

c) Gliederungstechnik

Gliederungsgrundsätze. Die Gliederung dient der formalen und inhaltlichen Unterteilung einer Arbeit. Dies setzt voraus, daß man keine Scheinklassifikation der Abschnitte vornimmt, sondern daß der logische Aufbau der Arbeit vor dem Hintergrund der Gliederung ständig überprüft wird. Erst nach Fertigstellung des Manuskripts steht auch die endgültige Gliederung fest.

Es lassen sich verschiedene Gliederungsmöglichkeiten wählen, allerdings haben sich in der Gestaltung schriftlicher Arbeiten die beiden Prinzipien des Dezimalklassensystems und der alphanumerischen Kombination (Buchstaben-Zahlen-Kombination) durchgesetzt. Hat man sich für ein System entschieden, muß man es in der ganzen Arbeit durchhalten. Allgemeine Grundsätze für die richtige Anwendung der Gliederung sind a) Einheitlichkeit, b) Logik, c) Ausgewogenheit. Besonders die Tiefe der Untergliederung sollte ausgewogen und mit dem Text abgestimmt sein. Hauptabschnitte einer Arbeit und ihre jeweiligen Unterteilungen sollten annähernd proportional wirken.

Je tiefer eine Untergliederung oder Staffelung der einzelnen Abschnitte erfolgt, um so zwingender wird die Logik, d. h., »was einem Oberbegriff unterzuordnen wäre, darf nicht einem

Oberbegriff gleichgestellt werden« (Standop 1975, S. 33). Die Erfahrung lehrt, daß eine übermäßige Aufgliederung (z. B. beim Dezimalsystem) nicht nur den Gang der Argumentation erheblich beeinträchtigt, sondern auch oft Anordnungen des Textes zur Folge hat, die dem Einteilungsgrundsatz der Logik nicht mehr ganz entsprechen. Allerdings ist zu beachten, daß alle als wesentlich erachteten Gegenstände, Themen und Probleme einer Arbeit in der Gliederung aufgeführt werden. Sämtliche Gliederungsgesichtspunkte haben wortgetreu dem Inhaltsverzeichnis zu entsprechen.

Alphanumerische Gliederungsordnung. Allgemein lautet die Reihenfolge in einer Gliederung bei einer alphanumerischen Kombination (Buchstaben-Zahlen-Kombination):

A. Haupteinteilung in A. B. C.; dient der Untergliederung der Arbeit in »Teile«. Statt dessen kann man auch schreiben: Erster Teil (es folgt Titel des ersten Teils).
Die Haupteinteilung entfällt meist bei schriftlichen Arbeiten im Studium.

I. Kapitelüberschrift. Im Regelfall reicht die Untergliederung einer Arbeit in Kapitel und Abschnitte eines Kapitels.
1. Abschnittstitel (1. Untergliederung)

a) Unterabschnittstitel (2. Untergliederung)

aa) wahlweise vor weiteren Untertiteln (3. Untergliederung)
Die dritte Untergliederung kann auch als Zwischenüberschrift ohne Einordnungskennzeichen erfolgen (vgl. die Gliederung in diesem Buch).

Dezimalklassensystem. Die Dezimalnumerierung setzt sich in wissenschaftlichen Arbeiten immer mehr durch. Sie ist exakt und erlaubt eine beliebig tiefe Untergliederung. Dies führt allerdings in vielen Fällen dazu, ein Sachgebiet oder eine Problemstellung tiefer als nötig oder sachlich gerechtfertigt zu unterteilen, so daß die Vielzahl von Abschnitten eher verwirrend wirkt. Es ist daher zu empfehlen, möglichst nicht weiter als drei oder maximal vier Stellen innerhalb eines Kapitels zu unterteilen, also z. B. 1.1.1 oder ggf. 1.1.1.1.

Schreibweise der Einordnungskennzeichen. Großen lateinischen Buchstaben (A. B. C.), römischen Ziffern (I. II. III.) und arabischen Ziffern (1. 2. 3.) folgt grundsätzlich ein Punkt, aber *keine* rechte Klammer. Nur kleinen lateinischen Buchstaben a) b) oder aa) bb) und ggf. griechischen Buchstaben α) β) γ) folgt eine rechte Klammer; dafür entfällt der Punkt.

Beispiel einer Gliederung nach alphanumerischem System

Vorwort (Vorbemerkung)
Einleitung
    1. Problemstellung
       a) Abgrenzung der Fragestellung (A, B)
       b) Begründung für die Einengung der Thematik
    2. Hypothesen

I. Gegenwärtiger Forschungsstand
    1. Methodischer Stand
    2. Theoretischer Forschungsstand
       a) Theoretische Strömungen
          aa) Forscher A
          bb) Forscher B
          cc) Forscher C
       b) Resümee des Forschungsstands

(Statt aa) kann auch α stehen. Es ist allerdings auch möglich, ganz auf das Einordnungskennzeichen zu verzichten.)

II. Methodik
    1. Angewandte Methoden
    2. Problematik der Methodenwahl

III. Ergebnisse
    1. Ergebnisse von Sekundärmaterialien
    2. Ergebnisse aus eigenem Erhebungsmaterial
       a) Ergebnisse zur Fragestellung A
       b) Ergebnisse zur Fragestellung B
IV. Diskussion und Bewertung der Ergebnisse etc.

Zusammenfassung

Beispiel eines Gliederungsschemas nach dem Dezimalsystem

01 Vorwort
1. Einführung
1.1 Problemstellung
1.1.1 Abgrenzung der Fragestellung
1.1.2 Begründung für die Einengung der Thematik
1.1.3 Hypothesen
1.2 Ziel der Arbeit

2. Gegenwärtiger Forschungsstand
2.1 Methodischer Stand
2.2 Theoretischer Stand
2.2.1 Theorie 1
2.2.2 Theorie 2
2.3 Forschungsergebnisse
2.4 Interdisziplinärer Forschungsstand

3. Methodik
3.1 Angewendete eigene Methoden
3.2 Problematik der Methoden

4. Ergebnisse
4.1 Ergebnisse des Erhebungsmaterials
4.1.1 Ergebnisse zur Fragestellung A
4.1.2 Ergebnisse zur Fragestellung B
4.2 Ergebnisse aus Quellenuntersuchungen
4.2.1 Einzelergebnisse

5. Diskussion und Bewertung der Ergebnisse
5.1 Geltungsbereich der Ergebnisse
5.2 Gegenüberstellung der Ergebnisse mit der Literatur
5.3 Gegenüberstellung der Ergebnisse mit den eigenen Hypothesen

6. Zusammenfassung und Ausblick auf ungelöste Probleme

d) Tabellen und Abbildungen

Tabellen und Abbildungen werden in einer Arbeit fortlaufend durchnumeriert und in einem Tabellen- bzw. Abbildungsverzeichnis zusammengestellt (vgl. Abschnitt Tabellenverzeichnis).

Jede Abbildung bzw. Tabelle muß eine Überschrift tragen, die den Inhalt klar und eindeutig wiedergibt, und zwar in der Reihenfolge: was, wo, wann, wie.

Beispiel eines Tabellenaufbaus

Tabelle 1: Erwerbstätige in der BRD nach Stellung im Beruf 1950−1989 in Prozent

	1950	1960	1970	1980	1985	1987	1988	1989
	in 1000							
Insgesamt	23489	26194	26343	26875	26626	27083	27366	27742
Selbständige	3412	3308	2811	2316	2424	2426	2422	2463
Mithelfende Familien- angehörige	3253	2599	1809	924	712	656	639	561
Beamte	852	1230	1447	2261	2367	2388	2370	2424
Angestellte	3986	5909	7802	10002	10531	11075	11516	11612
Arbeiter	11986	13148	12474	11372	10592	10538	10419	10682
Teilzeit- beschäftigte[2]	·	·	·	2816	3021	3132	3305	3452
	in %							
Selbständige	14,5	12,6	10,7	8,6	9,1	9,0	8,9	8,9
Mithelfende Familien- angehörige	13,8	9,9	6,8	3,5	2,7	2,4	2,3	2,0
Beamte	3,7	4,7	5,5	8,4	8,9	8,8	8,7	8,7
Angestellte	17,0	22,6	29,6	37,2	39,6	40,9	42,1	41,9
Arbeiter	51,0	50,2	47,4	42,3	39,8	38,9	38,1	38,5
Teilzeit- beschäftigte[2]	·	·	·	11,9	12,9	13,1	13,6	14,0

[2] Abhängig Beschäftigte mit einer Wochenarbeitszeit von 35 und weniger Stunden
Quelle: Statistisches Bundesamt
Quelle: Institut der Wirtschaft Köln, Zahlen der wirtschaftlichen Entwicklung der Bundesrepublik Deutschland, 1991, Tab. 11.

Beispiel für eine Tabellenüberschrift:

Tabelle 7: Anteil der Erwerbstätigen in der Bundesrepublik Deutschland 1992 in Prozent.

Alle Fußnoten, die sich auf den Inhalt von Tabellen beziehen, werden mit a, b, c usw. bezeichnet, die Quellenangaben (wobei das Wort »Quelle« stets voransteht) dagegen mit 1, 2, 3 usw. Fußnoten stehen direkt unter den Tabellen oder, falls die Tabelle eingerahmt wird, im Rahmen der Tabelle bzw. Abbildung, also grundsätzlich nicht im Anmerkungsteil einer Seite.

Die Quellenangabe erfolgt alternativ entweder unmittelbar unter der Darstellung oder aber unten auf der Seite im Anmerkungsteil.

Die Fußnoten zu Abbildungen und Tabellen (a, b, c) werden durch Punkt und Gedankenstrich voneinander getrennt, also fortlaufend geschrieben und nicht untereinander gesetzt. In den Fußnoten werden in der Regel Erläuterungen zu den Zahlen, Maßstäben, Figuren, Koordinaten etc. gegeben.

Eine Tabelle bzw. Abbildung sollte aus optischen Gründen so gestaltet werden, daß sie mehr in die Breite als in die Länge geht.

e) Anmerkungstechnik – Die Fußnoten

Anmerkungen oder Fußnoten enthalten vorwiegend Material, das keinen direkten Bezug zur Gedankenführung im Text hat, jedoch insgesamt für die Arbeit unentbehrlich ist. Anmerkungen erfüllen in erster Linie drei Funktionen (Standop 1975, S. 57 ff):

(1) Dokumentation der Quellenangabe.

(2) Erläuterungen und Modifizierungen, Einschränkungen und erweiternde Problemsicht des Themas.

(3) Angabe von Querverweisen in der eigenen Arbeit.

Es hat sich inzwischen eingebürgert, die Fußnoten ganz an den Schluß des Textes zu setzen, was für den Leser ein ständiges Hin- und Herblättern zur Folge hat. Besser ist es, den Fußnotentext an den Fuß der gleichen Seite, auf die sich diese Anmerkung bezieht, zu setzen und optisch vom übrigen Text abzusetzen (Krämer 1992, S. 68). Man sollte auch darauf achten, mit den Anmerkungen sparsam umzugehen und nicht Dinge, die mit dem eigentlichen Thema nur noch entfernt zu tun haben, im Anmerkungsteil unterzubringen. Fußnoten sind nämlich nur dann hilfreich, wenn sie vernünftig verwendet werden (Eco 1991, S. 210/211).

Anmerkungsziffern. Als Fußnotenzeichen verwendet man üblicherweise arabische Ziffern; sie werden im Text unmittelbar hinter das Wort, worauf sich eine Anmerkung bezieht, eine halbe Zeile nach oben versetzt angegeben. Die Anmerkung steht grundsätzlich am Ende eines zitierten oder sinngemäß wiedergegebenen Gedankenganges.

Die Zählung von Anmerkungsziffern sollte aus praktischen Erwägungen entweder auf jeder Seite oder zumindest kapitelweise neu beginnen, um gegebenenfalls ein späteres Einschieben von Fußnoten zu erleichtern.

Schreibweise von Anmerkungen. Der Anmerkungs- oder Fußnotenteil einer Seite wird durch einen waagerechten Trennungsstrich vom Textteil getrennt. Der Trennungsstrich beträgt etwa ein Drittel der Textbreite.

Zwischen den Zeilen im Anmerkungsteil wird ein einzeiliger Abstand eingehalten. Alle Anmerkungen werden mit einem Punkt geschlossen.

Falls ausnahmsweise eine Anmerkung nicht mehr auf der Seite des Textes, auf den sie sich bezieht, untergebracht werden kann, weil sie z. B. außergewöhnlich lang ist, wird sie im Fußnotenteil der nächsten Seite fortgesetzt und abgeschlossen. Die Fortsetzung kann mit folgender Formulierung eingeleitet werden: »Fortsetzung der Anmerkung von S...«.

Der Fußnotenteil einer Seite kann unter Umständen länger als der betreffende Textteil sein. In diesen Fällen sollte man aber darauf achten, daß der Textteil möglichst nicht aus weniger als fünf Zeilen besteht.

f) Verwendung von Abkürzungen

Im Textteil einer Arbeit sind allgemeine Abkürzungen äußerst sparsam zu verwenden. In der Regel beschränkt man sich auf

»z. B.«, »usw.«, »etc.«, »u. a.«, d. h., Wendungen wie »unter Umständen«, »meines Erachtens«, »mit anderen Worten« werden ausgeschrieben.[1] Daneben gibt es eine Reihe spezieller Abkürzungen, die im Text oder in den Fußnoten angewendet werden können. Dazu zählen a) bibliographische Abkürzungen, b) Akronyme und c) Siglen.

Bibliographisch-technische Abkürzungen sind z. B. Abs. (Absatz), Abschn. (Abschnitt), Bd. (Band), Jg. (Jahrgang), R. (Reihe), S. (Seite), vgl. (vergleiche). Sofern diese Begriffe im Anmerkungs- oder Fußnotenteil einer Arbeit verwendet werden, müssen sie abgekürzt werden.

Eine andere Art der Kürzung ist die Akronymie. Besonders häufig benutzte Begriffe, deren ausgeschriebene Form unhandlich wäre, werden als Akronyme in gekürzter Form verwendet. Man unterscheidet Akronyme, bei denen die Abkürzung selbst ein neues künstliches, sprechbares Wort ergibt (z. B. NATO, UNO, DIN), und Akronyme, die buchstabenweise gesprochen, aber so benutzt werden, als handle es sich um ein regelrechtes Wort (z. B. OECD, USA, KSZE, SPD, CDU etc.).

Bei der Schreibweise von Akronymen ist darauf zu achten, keine Punkte zu setzen, weil sie wie Wörter behandelt werden.

Bei Siglen handelt es sich um Kürzungen, die aus den Anfangsbuchstaben von zusammengestellten Worten bestehen, z. B. StVO, ZfS, KZfSS etc. Besonders zur Titelkürzung von Fachzeitschriften, Gesellschaften, Gesetzesbüchern oder auch im Bereich der Technik und Chemie sind Siglen geläufig geworden. Auch aus den Titeln von Handbüchern und Lexika werden gelegentlich Siglen gebildet, z. B. HES (Handbuch der Empirischen Sozialforschung).

Wenn man in einer schriftlichen Arbeit Akronyme oder Siglen benutzt oder auch selbst ad hoc für die Arbeit bestimmte Siglen festlegt, muß ihre Wortauflösung in einem dem Text vorangestellten Abkürzungsverzeichnis erfolgen.

---

[1] Den folgenden Ausführungen liegt teilweise Standop 1977, S. 92 f zugrunde.

5. Zitiertechnik

a) Allgemeine Zitierregeln

Schriftliche Arbeiten erfordern stets den Gebrauch von Zitaten. Zitate sind die wortgetreue oder sinngemäße Wiedergabe fremder Äußerungen.

Der Wissenschaftscharakter einer Abhandlung liegt unter anderem darin, daß der Verfasser an bisher erarbeitete Ergebnisse und Argumente anknüpft, sich mit ihnen auseinandersetzt und kritisch Stellung zu ihnen bezieht. Zu diesem Zweck wird er zur Beweisführung und Illustration einer Behauptung Belege anführen, die aus den unterschiedlichsten Quellen stammen können.

Ein zentraler unabdingbarer Grundsatz bei der Erstellung einer schriftlichen Arbeit ist, daß *jede* wörtliche oder inhaltliche Entlehnung von fremden Gedankenführungen durch sorgfältigste Quellenangabe (Literaturangabe) kenntlich zu machen ist. Lediglich Angaben, die zum gesicherten Bestand der Allgemeinbildung gehören, brauchen nicht durch eine entsprechende Quellenangabe belegt zu werden.

Für den wirkungsvollen Umgang mit Zitaten gibt es keine allgemeine Regel. Je nach der konkreten Problemstellung kann es erforderlich sein, einmal mehr Zitate anzuführen und einmal sich auf wenige Quellenangaben zu stützen. Es sollte jedoch vermieden werden, durch zu viele und zu ausführliche Zitate die Arbeit unnötig auszuweiten und den Argumentationsgang aufzuhalten. Andererseits erschwert ein deutlicher Mangel an Zitaten und Literaturangaben die Unterscheidung zwischen originärem Gedankengut des Verfassers und fremden Ansichten.

Wörtlich oder sinngemäß zitieren kann man aus allem gedruckten oder auch vervielfältigten Material. Aus unveröffentlichten Manuskripten ist das Zitieren nur unter dem Vorbehalt der Zustimmung des Verfassers möglich.

Zitiert man aus der Literatur, sollte man möglichst die jeweils neueste Auflage heranziehen. Allerdings kann es in bestimmten Fällen durchaus sinnvoll sein, auch Erstausgaben zu benutzen.

Ungeeignet zur Verwendung sind unautorisiert redigierte Ausgaben.

Da Zitate aus einem Zusammenhang entnommen werden, ist strikt darauf zu achten, daß sie ihren ursprünglichen Sinn behalten. Sie sind möglichst wörtlich, d. h. unverändert zu übernehmen, selbst wenn ihre Schreibweise veraltet ist.

Kürzere Zitate können in den eigenen Satzzusammenhang eingeschmolzen werden, längere Zitate werden in der Regel mit einem Doppelpunkt förmlich eingeführt.

Normalerweise wird aus der Originalquelle zitiert. Ist man aber gezwungen, aus zweiter Hand zu zitieren, z. B. weil der Originaltext nicht beschaffbar ist, nennt man zuerst mit allen bibliographischen Angaben den Originaltext und im Zusatz das Werk, aus dem das Zitat entnommen wurde. Der Zusatz wird eingeleitet mit den Worten: zitiert nach (z. B. zitiert nach Max Weber, Titel etc.).

Schreibweise wörtlicher Zitate. Wörtliche Zitate sind in Anführungszeichen zu setzen. Enthalten wörtliche Zitate ihrerseits wörtliche Zitate Dritter, so ist dies durch halbe Anführungszeichen (›) kenntlich zu machen.

Auslassungen in einem Zitat heißen *Ellipsen.* Jede Auslassung eines Wortes wird durch zwei Punkte in Klammern (..), die Auslassung von zwei oder mehr Wörtern durch drei Punkte (...) gekennzeichnet. Es ist wichtig, daß die Satzzeichen des Originaltextes richtig beibehalten werden, wenn gekürzt wird.

Hinzufügungen und für das Verständnis notwendige Zusätze in einem Zitat werden als *Interpolationen* bezeichnet. Sie stehen in eckigen Klammern. Interpolationen sind meist zur Erläuterung einzelner Worte nötig. Wenn es in dem zu zitierenden Text heißt: »Ihre Bedeutung für die Gesellschaft liegt darin ...« und das »ihre« mißverständlich ist, interpoliert man: »Ihre Bedeutung [der Familie] ...«.

Falls der Verfasser bestimmte Stellen eines Zitats hervorheben möchte, so ist dies durch Unterstreichen möglich, allerdings mit der ergänzenden Bemerkung [Hervorhebung von mir]. Der Zusatz »Hervorhebung von mir« steht in eckigen Klammern.

Am Ende eines Zitats steht ohne Rücksicht auf das Original das Satzzeichen, das der jeweilige syntaktische Zusammenhang des eigenen Satzes erfordert. Ist das Zitat mehrzeilig, wird es zusätzlich eingerückt und engzeilig getippt. Dabei können gegebenenfalls auch die Anführungszeichen entfallen, weil der Text auch ohne sie als Zitat erkennbar ist.

Beispiel:

Die eigentliche Veränderung des Verhaltens in den oberen Schichten aber, die tatsächliche Ausbildung der Modelle jenes Verhaltens, das man nun das »zivilisierte« nennen wird, vollzieht sich − mindestens soweit sie in den hier behandelten Bezirken sichtbar wird − in der mittleren Phase. Der Begriff der »Zivilisation« weist im Gebrauch des 19. Jahrhunderts ganz stark darauf hin, daß der Prozeß der Zivilisation (…) vollzogen und vergessen ist. (Elias Norbert, Über den Prozeß der Zivilisation, Erster Band, 1976, S. 139).

Zitate im Zitat bzw. Textpassagen, die selbst schon in Anführungszeichen stehen, werden in halbe Anführungszeichen gesetzt. Ganze Anführungszeichen werden dafür wieder frei, wenn das Zitat wie im obigen Beispiel ohne Anführungszeichen aus dem übrigen Text optisch hervorgehoben wird. (Krämer 1992, S. 126ff.)

Seitenangabe von Zitaten oder Quellen. Je nach Zitierweise wird im Text oder in der Fußnote gewöhnlich die Seite des Textes angegeben, auf der das Zitat oder die Quelle steht. Die Seitenzahl steht grundsätzlich am Ende einer Literatur- oder Quellenangabe. Erstreckt sich die Quelle über zwei Seiten, lautet die Schreibweise S. 24/25 oder S. 24 f (f = und die folgende Seite); ist sie länger als zwei Seiten, schreibt man S. 24 ff (ff = und die folgenden Seiten). Bezieht man sich in der Wiedergabe eines fremden Gedankengangs auf keine bestimmte Stelle, schreibt man »vgl.«.

Will man zum Ausdruck bringen, daß eine übernommene Ansicht an mehreren Stellen im Buch auftritt, schreibt man z. B. S. 20 und passim, oder auch einfach nur *passim*.

Eine Seitenangabe entfällt bei Wörterbüchern. Als Quelle wird nicht die Seite, sondern vielmehr das betreffende Stichwort angegeben, also z.B. Hartfiel, G.: Wörterbuch der Soziologie, Stuttgart, 1982, Stichwort: Alterssoziologie, Frankfurter Schule, Adorno.

Nicht wörtliche, sondern sinngemäß entnommene Zitate werden bibliographisch genauso angegeben wie wörtliche Zitate. Dies bedeutet, daß die Quellenangabe in der Fußnote ohne die Abkürzung »vgl.« eingeleitet wird. Sinngemäße Wiedergaben fremder Gedanken unterscheiden sich folglich zitiertechnisch nicht von wörtlichen Zitaten. Nur wenn der Verfasser auf ähnliche Ausführungen verweisen möchte, ohne daß er sie einer bestimmten Stelle entnimmt, ist es angebracht, die Fußnote durch die Abkürzung »vgl.« einzuleiten.

Sinngemäße Übernahme ganzer Passagen. Werden längere Ausführungen, die sich über mehrere Seiten erstrecken können, inhaltlich übernommen oder stützt sich ein ganzes Kapitel auf bestimmtes Fremdmaterial, so braucht nicht ständig die Quelle genannt zu werden, sondern es reicht eine Anmerkung in der Fußnote, etwa folgender Art: Diesen Ausführungen liegt .. zugrunde.

Zitieren fremdsprachiger Quellen. Ist ein fremdsprachiger Autor Gegenstand der wissenschaftlichen Arbeit, so wird in der Originalsprache zitiert. Hier kann es nützlich sein, in einer Anmerkung eine Übersetzung hinzuzufügen. Geht es nur um Informationen oder ein allgemeines Urteil des fremdsprachigen Autors, zitiert man eine gute Übersetzung oder übersetzt eventuell selbst und setzt gegebenenfalls das Original oder Ausschnitte davon in die Fußnote. Für den Leser ist es jedenfalls angenehmer, bei einer Sprache bleiben zu können. (Eco 1992, S. 199).

b) Zitierweisen

Damit der Leser bei Bedarf die zitierte Quelle möglichst leicht und schnell finden kann, gibt es unterschiedliche Techniken, auf die Originalquelle zu verweisen. Je nachdem, wie vollständig die bibliographischen Angaben im Textteil verzeichnet werden, unterscheidet man zwischen bibliographiebezogener und Vollbeleg-/Kurzbeleg-Zitierweise. (Krämer 1992, S. 129ff.)

Bibliographiebezogene Zitierweise. Die bibliographiebezogene Zitierweise und Quellen- bzw. Literaturangabe setzt sich aus praktischen Erwägungen und aus raumsparenden Gründen in der Soziologie immer mehr durch und ist zu empfehlen. Die bibliographiebezogene Zitierweise setzt voraus, daß der schriftlichen Arbeit ein Schrifttums-, Literaturverzeichnis oder wahlweise eine Bibliographie beigegeben wird. Aus diesem Grund kann man sich im Text auf folgende Angaben beschränken:

(1) Verfassername (ohne Vorname)
(2) Erscheinungsjahr des Werkes
(3) Seitenzahl

also z. B. (Weber 1976, S. 87). Diese Angabe steht entweder direkt im Text (wie in diesem Buch), dann wird sie in Klammern gesetzt − oder wahlweise in der Fußnote.

Sind in einem Jahr mehrere Werke eines Verfassers erschienen, so unterscheidet man sie durch Kleinbuchstaben nach der Jahreszahl, also z. B. (Weber 1974a, S. 56) und (Weber 1974b, S. 87).

Werden ausnahmsweise nicht Seitenzahlen, sondern Paragraphen, Kapitel etc. als Quelle zitiert, so wird dies entsprechend deutlich gemacht, also z. B. (Schneider 1974, Kap. 3) oder (Schneider 1974, § 17).

Für den Fall, daß man aus einer neuen Auflage eines Klassikers zitiert, ist es informativ, wenn man das Erscheinungsjahr der Erstausgabe in folgender Art zusätzlich kenntlich macht: (Weber 1973 [[1]1921], S. 130). Die Angabe des Ersterscheinungsjahrs wird in eckige Klammern gesetzt, die vorangestellte Eins signalisiert die Erstausgabe. Weiterführende Hinweise, z. B. eigene Ergänzungen, Einwände etc. müssen in eine Fußnote gegeben werden und werden wie Anmerkungen behandelt.

Entscheidet man sich für die bibliographiebezogene Zitierweise, empfiehlt sich für das Schrifttums- oder Literaturverzeichnis folgender leicht abgewandelter Aufbau:

Weber, Max 1974 a: Titel, Ort
Weber, Max 1974 b: Titel, Ort etc.

Vollbeleg-/Kurzbeleg−Zitierweise. Der Vollbeleg enthält im Gegensatz zur bibliographiebezogenen Zitierweise alle Angaben, die der Leser benötigt, um ohne Umweg über das Literatur- und Quellenverzeichnis Klarheit über einen angegebenen Beleg zu erhalten. Man nimmt also bewußt einen umfangreichen Fußnotenteil und Wiederholung von Titelangaben in Kauf.

Allerdings kommt der Vollbeleg in der Regel nur für die erste Erwähnung einer Literaturquelle in Frage, anschließend wechselt man direkt oder über Verweisungsabkürzungen auf einen Kurzbeleg über.

Voll- und Kurzbeleg werden grundsätzlich in einer Fußnote mit Hilfe von Anmerkungsziffern aufgeführt. Beim Vollbeleg sind die Literatur- und Quellentitel in der gleichen Form wie beim Literatur- und Quellenverzeichnis anzugeben (vgl. Aufbau eines Literaturverzeichnisses in diesem Kapitel).

Der Kurzbeleg dagegen braucht nichts zu wiederholen, was an anderer Stelle des Textes bereits gesagt worden ist. Falls der Vollbeleg einer Quelle bereits verzeichnet wurde, genügen in den nachfolgenden Quellenangaben Verfassername und Seitenzahl, also z. B. Adorno, S. 14. Werden unterschiedliche Texte eines Verfassers herangezogen, so ist es gebräuchlich, auch die Titel sinngerecht zu kürzen, also etwa
Weber, Soziologie, S. 150
Weber, Grundbegriffe, S. 47.

Folgt dieselbe Quelle erst an späterer Stelle wieder, ist es empfehlenswert, zur besseren Orientierung des Lesers den Vollbeleg noch einmal zu wiederholen.

Bei der Vollbeleg-/Kurzbeleg-Zitierweise erübrigen sich Verweisungsabkürzungen, doch findet man sie noch häufig in der Literatur. Falls man mit Verweisungsabkürzungen arbeiten möchte, gelten folgende Regeln:

Derselbe (ungebräuchlich »idem«, abgekürzt id.). Die Wörter »Derselbe« oder »Dieselbe« bzw. »Dieselben« sind anstelle der Wiederholung des Namens eines Verfassers nur anzuwenden, wenn innerhalb ein und derselben Anmerkung auf einer Seite mindestens zwei verschiedene Arbeiten desselben Verfassers zu zitieren sind, z. B. (2) Luhmann, Politische Planung, S. 117; derselbe, Soziologische Aufklärung 1, S. 35.

A.a.O. (weniger gebräuchlich: daselbst, ebenda oder die lateinischen Wendungen: loc. cit. (loco citato), ib., ibid. (für ibidem, ebenda). Die Verweisungsabkürzung a.a.O. (am angegebenen Ort) ist wenig informativ, wenn sie in der gesamten Arbeit durchgängig an den Familiennamen des Verfassers angehängt wird. Eine solche Zitierweise ist zu vermeiden, weil der Leser ständig zum Zurückblättern gezwungen wird. Die Wendung a.a.O. empfiehlt sich allenfalls, um innerhalb des Anmerkungsteils von unmittelbar aufeinanderfolgenden Seiten bereits bekannte Angaben nicht wiederholen zu müssen, also z. B. in folgenden Fällen:

(1) Weber, S. 180
(2) a.a.O., S. 67

wenn eine andere Stelle des gleichen Werkes belegt wird; oder

(1) Weber, S. 180
(2) a.a.O.

wenn dieselbe Stelle noch einmal gemeint ist.

Lateinische Verweisungsabkürzungen sind nicht mehr gebräuchlich.

Im Zuge der Vollbeleg-/Kurzbeleg-Zitierweise ist darauf zu achten, bibliographische Angaben, die abkürzbar sind, auch stets abzukürzen. Dahinter steht der Grundsatz, die Quellenangaben im Anmerkungs- oder Fußnotenteil einer Seite so kurz wie nötig, aber so informativ wie möglich zu verzeichnen.

Bibliographische Schreibweise von Quellenangaben und Belegen. Die bibliographische Schreibweise und Anordnung der Einzelelemente eines Vollbelegs entspricht den Aufbauregeln des Literaturverzeichnisses bzw. der Bibliographie, die Seitenangabe steht in der Regel am Schluß. Abweichend vom Literaturverzeichnis wird in einer Fußnote der Vorname des Verfassers abgekürzt (vgl. den Abschnitt »Literaturverzeichnis, Bibliographie« bzw. »Schreibweise bibliographischer Angaben«).

6. Einige Bemerkungen zur EDV

Keine Wissenschaft kann sich heutzutage erlauben, den Computer zu ignorieren. Auch für die Soziologie spielt er eine immer größere Rolle. Man denke nur an die empirische Forschung, in der die Datenauswertung ohne Computerprogramme undenkbar wäre. Aber auch im Hinblick auf die wissenschaftliche Textverarbeitung setzt sich der PC immer mehr durch. So mancher trauert dabei auf dem Pfad der Wissenschaft mit Wehmut der guten alten (Reise-)Schreibmaschine als ständiger Begleiterin nach, die sinnbildlich für mit zerknülltem Papier überquellende Papierkörbe und tagelange Überarbeitungen mit Bleistift, Schere und Klebstoff steht.

Der PC schafft bei der Texterstellung enorme Erleichterung, und selbst die größten Schreibmaschinenfans können die Bereicherung an Textverarbeitungssoftware nicht ignorieren. Neben der Zeitersparnis, die der Computer bietet, kommt noch hinzu, daß die am PC geschriebene wissenschaftliche Arbeit in Druckbild und Layout einfach professioneller und ansprechender aussieht, und je nach Geschmack unterschiedlich gestaltet werden kann. Mit dem entsprechenden Textverarbeitungsprogramm sind Hervorhebungen im Text, Unterstreichungen, Seitenumbrüche, Fußnoten etc. gar kein Problem mehr.

Im folgenden sind einige Textverarbeiter für IBM-kompatible Rechner aufgeführt, die derzeit auf dem deutschen Markt erhältlich sind:

Akzent mit einfacher Bedienung, aber dementsprechend auch wenig Möglichkeiten.

Context Pro hat ebenfalls eine einfache Bedienung, aber keine Fußnotenverwaltung und wenig erweiterte Funktionen.

Euroscript bietet alles, was man von einem aktuellen Textverarbeitungssystem erwarten darf; ist allerdings anfänglich recht schwierig in der Bedienung.

Mit *PC Text* lassen sich viele Bearbeitungswünsche umsetzen, auch wenn dieses Programm etwas umständlich zu bedienen ist.

Star-Writer hat laut der Zeitschrift Stiftung Warentest 1990 das beste Preis-Leistungs-Verhältnis.

Wordperfect bietet schon eine recht anspruchsvolle Textverarbeitung, ebenso wie
Wordstar, das allerdings weniger gut bei Benutzerfehlern reagiert.

Marktführer ist nach wie vor *Word*, das nach einer gewissen Einarbeitungszeit relativ leicht zu bedienen ist und viele Extras bietet (Fußnoten, automatische Bibliographieerstellung, Kopfzeilen etc.) sowie eine komfortable Textverwaltung besitzt.

Wer die Möglichkeiten und den Komfort von *Word* ausschöpfen will, aber eine einfachere Eingangsbedienung sucht, sei auf *Word for Windows* verwiesen, das allerdings einige Maus-Erfahrung voraussetzt.

Im allgemeinen gehen die Entwicklungen und Verbesserungen in den Textverarbeitungsprogrammen so rasch voran, daß vielleicht die hier angeführten Programme morgen schon überholt sind. Es ist also immer sinnvoll, sich erst einmal eine Marktübersicht zu verschaffen und auch auszutesten, welches Programm für einen selbst geeignet ist. Hinweise über Vorzüge und Schwächen von Textverarbeitungsprogrammen geben in unregelmäßigen Abständen Testuntersuchungen der Stiftung Warentest, die in Verbraucherberatungsstellen erhältlich sind. Die Wahl eines Textverarbeitungsprogrammes hängt neben der Kompetenz im Umgang mit dem PC auch sehr von den Bedürfnissen und Anforderungen ab. Schreibt man z. B. viel Text ohne Formeln und Tabellen, so ist ein System fast so gut wie das andere. Braucht man unterschiedliche Schrifttypen oder Fußnotenverarbeitung, Kopfzeilen oder unterschiedliche Hervorhebungsmöglichkeiten im Text, so ist schon ein anspruchsvolleres Programm erforderlich (Krämer 1992, S. 8ff.).

Schließlich soll noch auf ein Programm zur Erstellung einer Literaturdatenbank hingewiesen werden. Das Programm *Unilit* verwaltet eine beliebige Anzahl von Zitaten in beliebig vielen Dateien, bietet die Möglichkeit, wie in einem Karteikasten in Zitatstellen zu blättern, erlaubt Suchprozesse sowohl mit Volltextrecherche als auch mit einem Schlagwortthesaurus und verwaltet Literaturlisten jeglicher Art. Wenn man sich während des Studiums eine Literaturdatenbank (sei es für eine wissenschaftliche Arbeit oder sei es für ein bestimmtes Thema) anlegen will, ist ein entsprechendes Programm von Vorteil. (Unilit-Bezugsmöglichkeit: Dr. R. Stoll, Ludwig-Juppe-Weg 1, 35039 Marburg.)

Aber bei allen Überlegungen bezüglich des Computers und des richtigen Programms sollten stets die Arbeit und das Thema im Vordergrund des Interesses stehen. Der PC ist und bleibt wie die Schreibmaschine für die Texterstellung lediglich ein Handwerkszeug, das die Anfertigung der wissenschaftlichen Arbeit nur in formaler und technischer Hinsicht erleichtern kann.

Ausgewählte Literatur

Eco, U. 1991: Wie man eine wissenschaftliche Abschlußarbeit schreibt, 4. Aufl., München.

Gerhards, G. 1973: Seminar-, Diplom- und Doktorarbeit, Bern und Stuttgart.

Gerhards, G. 1991: Seminar-, Diplom- und Doktorarbeit, 7., völlig überarb. u. erg. Aufl., Bern und Stuttgart.

Heyde, J. E. 1966: Technik des wissenschaftlichen Arbeitens, 9., verb. und erw. Aufl., Berlin.

Krämer, W. 1992: Wie schreibe ich eine Seminar-, Examens- und Diplomarbeit, Stuttgart.

Lück, W. 1990: Technik wissenschaftlichen Arbeitens: Seminararbeit, Diplomarbeit, Dissertation, 4., verbess. u. erw. Aufl., Marburg.

Poenicke, K. 1988: Duden. Wie verfaßt man wissenschaftliche Arbeiten?: Ein Leitfaden vom 1. Studiensemester bis zur Promotion, 2., neu bearb. Aufl., Mannheim.

Spandl, O. P. 1971: Die Organisation der wissenschaftlichen Arbeit, Braunschweig.

Standop, E. 1977: Die Form der wissenschaftlichen Arbeit, 7., durchges. Aufl., Heidelberg.

Standop, E. 1990: Die Form der wissenschaftlichen Arbeit, 13., durchges. u. verbess. Aufl., Heidelberg.

Kapitel V
Rhetorik und Vortragsform

Rede, Argumentation und Kommunikation spielen heute im Studium eine so bedeutende Rolle, daß ihre Beherrschung häufig zu einem entscheidenden Qualifikationsmerkmal wird. Der wirkungsvolle Gebrauch der Rhetorik erfährt eine laufend steigende Wertschätzung. Sie bildet unter schlagwortartigen Titeln wie »persuasive Kommunikation«, »kommunikatives Handeln«, »handlungsauslösende Rede« ein zentrales didaktisches Instrumentarium in Kommunikations- und Unterrichtsmodellen (Dyck 1974, S. 7).

Die freie Rede in der Gruppenarbeit, im Seminar, in Form eines Diskussionsbeitrages oder eines Referates bildet vielfach erst die Voraussetzung für einen chancengleichen Prozeß im Studium, für eine sachorientierte, kooperative Mitarbeit im Seminar und letztlich auch für eine partnerschaftlich orientierte Idiomatik.

Rhetorik ist nicht nur ein Instrumentarium der Kommunikationsfähigkeit und Kommunikationsflexibilität, sondern bildet in ihrer Form des »Sprechdenkens« eine wichtige Funktion der Selbständigkeit im wissenschaftlichen Arbeiten.

Wenn auch in der gegenwärtigen bildungspolitischen Situation der Stellenwert einer schriftlichen Arbeit höher eingeschätzt wird als ein mündlicher Beitrag und daher per se der Sprachkompetenz relativ wenig Raum gewährt wird, so scheinen doch in zunehmendem Maße die Grundformen der Kommunikation erklärte Studien- und Lernziele zu werden. Es ist einleuchtend, daß die Hochachtung vor dem schriftlich Fixierten sich in dem Maße relativiert, in dem der Studierende lernt, sich in entsprechender Studien- und später Berufssituation kompetent, autonom, überzeugend und sicher zu verhalten und auszudrücken.

Es fällt den meisten schwerer, sich zusammenhängend mündlich zu äußern als einen Sachverhalt schriftlich zu formulieren, weil sie die Grundelemente der Rhetorik allenfalls dem Namen nach kennen. Daher sollte es das Ziel einer kritischen Didaktik in der Soziologie sein, daß man sich bemüht, Rhetorik nicht nur an sich vollziehen zu lassen, sondern sich aktiv und verbal am wissenschaftlichen Diskussionsprozeß zu beteiligen. Mit jedem Schritt, von der positiven Einstellung zum Reden über die Analyse der Technik von Reden anderer bis hin zur selbstverantwortlichen eigenen Rede gelingt die sprachliche Bewältigung von Situationen besser. Wer Rhetorik, freie Rede und Kommunikation in einem solch kompensatorischen Sinn versteht, wird ihnen einen gebührenden Rang im Studium einräumen.

Im folgenden werden wichtige Prinzipien der Rhetorik der Klarheit halber überwiegend in Form von Leitsätzen vorgestellt.

1. Grundsätze der freien Rede

Gegenstand der Kommunikationstechnik sind die vier Komponenten Sprechen, Schreiben, Hören und Lesen. Da für diese vier Tätigkeiten viele Regeln gemeinsam gelten, ergeben sich fortlaufend Transfereffekte. So lernt der Student beim studierenden Lesen unbewußt, sich wirkungsvoller auszudrücken und sich sicherer in der Fachterminologie zu äußern, profitiert also gleichzeitig als Sprecher und Schreibender. Wer einen Rednerkursus besucht, lernt zugleich aufmerksamer zuzuhören, d. h. Gedanken aufzunehmen und zu verarbeiten (Zielke 1975, S. 1812). Mit jeder einzelnen Übungsmaßnahme wächst auch der Gewinn in den anderen Bereichen. Man lernt, sich gründlicher und besser zu konzentrieren, übt, sorgfältiger zu beobachten und verbessert sein Gedächtnis (Zielke 1975, S. 1812). Versuche haben ergeben, daß die meisten Menschen nur 15 bis 45 Sekunden konzentriert zuhören, dann ihre Gedanken wandern lassen, bis sie sich dem Sprecher wieder zuwenden. Dies bedeutet zum einen, daß der Redner die Zuhörer von der ständigen Versuchung abhalten muß, mit ihren Gedanken abzuschweifen; zum anderen muß sich der Redner bemühen, völlig klar und anschaulich zu sprechen. Die Argumente mögen noch so bestechend sein, sie bleiben wirkungslos, wenn es ihm nicht gelingt, seine Gedanken in eine bündige Gliederung zu bringen.

Daher sollte jeder Beitrag, jedes Korreferat, jede Argumentation folgendes Denkgerüst enthalten (Geißner 1974, S. 32):

a) einen Ansatzpunkt, der dem Hörer einen Denkreiz gibt;
b) einen Denkplan, der die Gedanken, z. B. Ausführungen zum Thema, Thesen, Begründungen etc., für die Hörer überschaubar anordnet und aufbaut;
c) einen Zielpunkt, der in einem Ergebnissatz zusammengefaßt wird.

Dieses Denkgerüst leitet Argumentation und Rede, d. h. es bindet die Gedanken an einen Plan, der die erforderlichen Denkschritte formal und inhaltlich gliedert.[1] Wer dieses Verfahren beherrscht, versteht in wenigen Sätzen einen prägnanten, logisch geordneten Beitrag zu liefern. Dabei geht man praktisch so vor, daß man sich einen den eigentlichen Kern anzielenden Ergebnissatz zuerst überlegt, dann die Begründungen und schließlich den Ansatzpunkt. In der Sprechsituation verläuft dann der Beitrag umgekehrt, also Ansatz, inhaltliche Begründung, Ergebnissatz.

Folgende weitere Gesichtspunkte spielen in der freien Rede eine wichtige Rolle:

− Terminologie
 Fachbegriffe sind rechtzeitig, umfassend und klar zu definieren, damit Zuhörer und Diskussionsteilnehmer nicht den Inhalt der Begriffe mißverstehen oder verwechseln.

− Glaubwürdigkeit
 Diskussionsbeiträge und Reden werden um so glaubwürdiger vorgetragen, je fundierter das Sachwissen ist. Allerdings spielt neben dem Wissen noch eine zweite Komponente eine gleichbedeutende Rolle. Das Wort »In dir muß brennen, was du in anderen entzünden willst«, beinhaltet eine der wichtigsten rhetorischen Grunderfahrungen: Nur wenn man selbst von einem Standpunkt ganz durchdrungen ist, wirkt man glaubwürdig und überzeugend.

---

[1] Vgl. den entsprechenden Abschnitt in diesem Kapitel über den Fünfsatz, in dem die praktischen Alternativen dieser Technik erläutert werden.

- Differenzierung

  In der fachwissenschaftlichen Diskussion ist es häufig erforderlich, nach befürwortenden Argumenten und Einwänden im Hinblick auf eine theoretische Fragestellung zu differenzieren. Es ist üblich, die befürwortenden Argumente an den Anfang des Beitrages oder der Rede zu stellen und dann die Einwände vorzutragen. Handelt es sich dagegen um einen wertenden Beitrag und nimmt der Redner zu einer Fragestellung eine zustimmende Haltung ein, so bringt er erst die ablehnenden und dann die befürwortenden Argumente vor.

- Beweisführung

  Zuhörer orientieren sich besonders gern an Kausalketten. Um das Denkgerüst einer Rede – Ansatzpunkt, Denklinie, Zwecksatz – überzeugend zu vermitteln, bieten sich zwei Wege an: *Deduktion* und *Induktion.*

  In der Argumentationstechnik gilt die Deduktion als die Königin der Beweisführung. Die deduktive Methode erfordert einen »Obersatz«, aus dem denknotwendige Einzelaussagen abgeleitet werden, d. h. daß zunächst eine allgemeine These vorgetragen wird, mit deren Hilfe eine Reihe von Einzelbeobachtungen, Begründungen und Beispielen fundiert wird.

  Die induktive Methode erfordert zunächst eine Reihe von Einzelaussagen oder Einzelbeobachtungen, aus denen anschließend eine allgemeine Behauptung abgeleitet wird. Dabei hat die Argumentation »dicht« zu sein, d. h. daß kein Glied in der Kette der Folgerungen ausgelassen werden darf. Aus didaktischen Gründen ist die Induktion der deduktiven Beweisführung vorzuziehen; erstens, weil die Teilnehmer besser mitdenken können, und zweitens, weil die Induktion mehr Spannung enthält. Allerdings reicht meist ein einziges Gegenbeispiel, ein begründeter Einwand aus, um die Gültigkeit einer induktiv bewiesenen These aufzuheben.

- Veranschaulichungen/Zitate

  Besonders abstrakte Gedanken sind durch treffende Beispiele, Vergleiche oder Bildmetaphern zu veranschaulichen. Konkrete Untersuchungsergebnisse, empirisches Material oder auch bezeichnende Zitate eignen sich, um einen theoretischen Gedankengang zu verdeutlichen. Besonders Zitate dienen dazu, bestimmte Argumentationen ins Allgemeingültige zu heben. Doch sollte man darauf achten, nicht zuviel zu zitieren, weil das Aneinanderreihen fremder Texte ermüdend wirkt. (Hasselhorn 1976, S. 128)[1]

2. Manuskriptabhängiges Referat

Unter Referat versteht man meistens den mündlichen Vortrag einer ausgearbeiteten Niederschrift, z. B. einer Hausarbeit. Die Anfertigung eines Vortragsmanuskripts geschieht im Prinzip in gleicher Form wie die Erstellung einer schriftlichen Fach- oder Hausarbeit, allerdings mit einer ganz entscheidenden Einschränkung: Stil, Ausdrucksweise und Gliederung haben sich konsequent am Erwartungs- und Verständnishorizont der Zuhörer zu orientieren. Aus seinen eigenen Erfahrungen als Hörer hat man die Folgerungen für sein Verhalten als Redner zu ziehen; man darf über dem Stoff, den man vorträgt, seine Zuhörer nicht vergessen (Möller 1967, S. 33). Dies erfordert die Beachtung folgender Punkte:
– Eine straffe und klare gedankliche Grundgliederung bildet die Voraussetzung für ein gutes Referat. Die einzelnen Sinnabschnitte müssen logisch, folgerichtig und überschaubar aufgebaut sein.
Die Disposition ist dem Referat voranzustellen und bei den einzelnen Sinnabschnitten noch einmal zu wiederholen. Allzu feine Untergliederungen sind zu vermeiden, weil sie das Verständnis erschweren. Ein Leser kann auf vorangestellte

---

[1] Als ein englischer Geschichtsprofessor in einer Rede einen Quellenbeleg nach dem anderen anführte, ohne zu bemerken, daß die Hörer Gähnkrämpfe bekamen, äußerte sich Shaw, nach seiner Meinung über die Rede befragt, mit ironischem Spott: »Sonderbar, sehr sonderbar – so viele Quellen! Und dennoch so trocken ...« (Zitiert bei H. Lemmermann o. J., S. 85).

Abschnitte zurückgreifen, der Zuhörer kann immer nur folgen und wird deshalb thematische Unterpunkte kaum behalten können.[1]

- Die Gliederungspunkte werden an die Tafel geschrieben und, wenn irgend möglich, vorher fotokopiert und an die Teilnehmer vor Vortragsbeginn ausgehändigt.
- Kein Satz sollte die »Gegenwartsdauer« von zehn Sekunden überschreiten, um nicht die geistige Aufnahmefähigkeit der Zuhörer zu überfordern, d.h. die Satzgliedstellung sollte möglichst einfach konstruiert sein.

Es ist unmöglich, das fachwissenschaftliche Deutsch etwa eines Lehrbuches, das zügig vorgelesen wird, hörend oder mitschreibend aufzunehmen. Dies liegt unter anderem am besonderen Charakter des Schriftdeutsch, das, wenn es ausgefeilt ist, die auditive Aufnahme erschwert. Zwischen Vortrags- und Schreibstil besteht ein großer Unterschied (Spandl 1971, S. 96).

- Komplizierte Tatbestände sind zunächst in wenigen Sätzen vereinfacht darzustellen, bevor die näheren Einzelheiten ausgebreitet werden.
- Die Gesamtinformationsmenge ist so streng wie möglich zu begrenzen. Ein Zuviel an Inhalt und ein Zuviel an Worten für einen benötigten Mitteilungsinhalt wirken negativ: Die Gedanken der Zuhörer schweifen ab.
- Schematisch Erfaßbares wie Tabellen, Aufstellungen, empirische Erhebungsdaten, Skizzen werden in die schriftliche Rededisposition übernommen und während des Referates an die Tafel geschrieben.

---

[1] Über die Fehler einer mangelhaften Disposition äußert sich Schopenhauer: »... wenige schreiben, wie ein Architekt baut, der zuvor seinen Plan entworfen und bis ins einzelne durchdacht hat; vielmehr die meisten nur so, wie man Domino spielt« (zitiert bei Lemmermann o.J., S. 63).

3. Der freie wissenschaftliche Vortrag

Um der Gefahr vorzubeugen, ein Referat am Zuhörer vorbei zu konzipieren, empfiehlt sich die manuskriptunabhängige Rede, d. h. die freie mündliche Darlegung eines Themas. Sie stellt an den Vortragenden höhere Anforderungen als das manuskriptabhängige Referat, hat aber eine Reihe von Vorzügen. Man wird bald feststellen, daß der freie Vortrag den Referenten zwingt, gewissermaßen »eingleisig« zu verfahren: Der Referent mag noch so viel wissen, bei einer freien mündlichen Darstellung kann er seine Ausführungen nicht so verdichten und inhaltlich verschachteln wie am Schreibtisch, und dies erleichtert die Aufnahme beträchtlich (Möller 1967, S. 32). Dies heißt nicht, daß Aufzeichnungen über das Thema und die Stoffgliederung entfallen, sondern es wird lediglich auf die wortwörtlich ausgefeilte Formulierung des Textes verzichtet. Die Vorbereitung eines freien wissenschaftlichen Vortrags verläuft also zunächst nicht anders als bei einem schriftlich ausgearbeiteten Manuskript. Erst wenn die endgültige Gliederung entworfen ist, gabelt sich das Arbeitsverfahren: dann muß man es auf den manuskriptabhängigen oder den freien Vortrag einstellen.

Beim freien Vortrag tritt an die Stelle der Niederschrift der Stichwortkatalog. Der Inhalt des Vortrags wird stichwortartig aufgezeichnet, und zwar so deutlich gegliedert und übersichtlich angeordnet, daß der die Gedanken auslösende Schlüsselbegriff förmlich ins Auge springt. Meist sind auf den einseitig beschriebenen, numerierten Blättern nur wenige Stichworte vermerkt, wobei Unterpunkte durch entsprechendes Einrücken abgehoben werden. Die zentralen Thesen werden besonders gekennzeichnet, um die Orientierung zu erleichtern.

Häufig ist der freie Vortrag im Studium zweifellos ein Wagnis, vor allem dann, wenn das Lampenfieber die Gedanken blockiert. Die Redehemmung ist jedoch ein ganz normales Durchgangsstadium für jeden Anfänger, und die Erfahrung lehrt, daß die Lampenfieberkurve stetig sinkt, je mehr Vortragspraxis man hat. Daher sollte man sich möglichst früh dem Wagnis der freien Rede stellen, weil das Studium in vielen Situationen den für die Rede charakteristischen ›Sprech-Denk-Prozeß‹ voraussetzt.

Doch kann man auch trotz guter Vorbereitungen erleben, daß man in Sprachnot gerät. Dies sind Anfangsschwierigkeiten, die mit wachsender Übung überwunden werden. Man sollte aus einem ersten scheinbaren Mißlingen nicht die Folgerung ziehen, daß man nicht zum Redner geboren sei und daher künftig am Schreibtisch formulieren müsse. Reden lernt man nur durch Reden.

Folgende Maßnahmen erleichtern im Falle einer Redehemmung die Aufgabe eines freien Vortrags:

- Die Einleitung und der Schluß des Vortrags oder des Referats werden schriftlich ausformuliert. Dies bietet für den Beginn hinreichend Sicherheit.

- Im Zuge der Vorbereitung sollte der Vortrag mit seinen thematischen Verknüpfungen zumindest einmal gedanklich vollständig durchgegangen werden. Möglicherweise fördert auch das autogene Training eine solche Konzentrationsübung.

- Sollte man im Verlauf des Vortrags einmal blockiert sein, wiederholt man den letzten Gedanken noch einmal mit anderen Worten, um so zu versuchen, den Übergang wieder zu finden. Falls auch dies nicht gelingt, leitet man mit einem entsprechenden Hinweis wie: lassen Sie mich zu einem anderen Punkt kommen, auf sicheres Terrain über (Hasselhorn 1976, S. 126).

- Die fachliche Vorbereitung, das eigentliche Wissen, liefert die größte Sicherheit. Man muß den Stoff und die Gedankenführung beherrschen, dann fallen einem im rechten Augenblick auch die geeigneten Wendungen ein.

Gedächtnistraining. Zum Wissen gehört ein gutes Gedächtnis. Quintilian schrieb im 1. Jahrhundert nach Christus: »Das Gedächtnis ist die Schatzkammer der Beredsamkeit.«[1] Während

---

[1] Zitiert bei H. Lemmermann o. J., S. 25. Quintilian hat die Stilkomponenten der hochentwickelten antiken Rhetorik in den zwölf Büchern seiner »Institutio oratoria« zusammengefaßt.

man ein schwaches Gedächtnis im Gegensatz zu einem schwachen Verstand unbedenklich zugibt, als sei man für diesen Mangel nicht verantwortlich, zeigt doch die Erfahrung, daß erst die Stärkung des Gedächtnisses die Voraussetzung dafür schafft, in einer freien Rede die zentralen Gedanken- und Assoziationsfolgen sicher zu verknüpfen und zu beherrschen.

Eine Verbesserung der Gedächtnisleistung erreicht man durch die Verbindung folgender Mittel (Lemmermann o.J., S. 26):

(1) Konzentration: Sie wird gefördert, wenn man den Dingen und Eindrücken Zeit gibt und sich mit ihnen unter Ausschaltung des Umweltgeschehens und von Nebengedanken auseinandersetzt.

(2) Gedankenverknüpfung: Sie wird durch Gedächtnisbrükken, bildhafte Anknüpfungen und individuelle Assoziationen hervorgerufen.

(3) Wiederholung: Sie ist, wenn sie nicht gerade mechanisch angewendet wird, als Gedächtnisförderung nötig. In der Praxis geht man so vor, daß man einen bestimmten Stoff mit größeren Pausen wiederholt, damit er sich zwischenzeitlich setzen kann. Es ist besser, an zwei Tagen je eine Stunde als an einem Tag zwei Stunden einen Stoff zu lernen und zu wiederholen.

4. Die Stufen des wissenschaftlichen Vortrags

Um ein Thema gründlich vorzubereiten und überzeugend vorzutragen, sind folgende Schritte einzuhalten:

a) Vorbereitung

(1) Stoffsammlung
Die Stoffsammlung erfolgt wie bei einer schriftlichen Arbeit, besteht im wesentlichen aus einem Literaturstudium und sollte sehr frühzeitig begonnen werden.

(2) Stoffauswahl
Die Stoffauswahl ist zugleich auch Stoffauswertung, d.h.

Vortragsziel und Hauptgedanken stehen ständig im Mittelpunkt der Selektionsarbeit. Dabei ist schon vor der eigentlichen Gliederung stets auf Verknüpfungsgesichtspunkte und Zusammenhänge zu achten, um das Wesentliche vom Unwesentlichen zu trennen.

(3) Stoffgliederung

Die Grundgliederung bildet die eigentliche Voraussetzung für das Gelingen eines Vortrags. Die Dispositionsarbeit muß den roten Faden deutlich und überschaubar herausstellen, mit gleichzeitigem Verzicht auf jede zu subtile gedankliche Verzweigung. Der Gehalt des Vortrags muß schlüssig und klar erkennbar werden, d. h. der Aufbau muß logisch richtig und auf Steigerung bedacht sein.

(4) Erste Stichwortfassung

Die erste Stichwortfassung dient der Herausarbeitung von Schlüsselbegriffen. Sie ist relativ ausführlich, da gute Formulierungen noch festgehalten werden. Alle wichtigen Gesichtspunkte werden übersichtlich vermerkt.

(5) Manuskripterarbeitung

Falls man ein ausformuliertes Referat vorträgt, erfolgt die Manuskripterarbeitung analog zur schriftlichen Hausarbeit, allerdings mit den für den mündlichen Vortrag bereits oben geschilderten Einschränkungen.

(6) Ausformulierung von Einleitung und Schluß

Einleitung und Zusammenfassung werden erst nach der Konzipierung des Hauptteils formuliert, damit sie sich nahtlos in das inhaltliche Gefüge einbinden lassen. Wegen der besonderen Bedeutung von Einleitung und Schluß für einen Vortrag werden sie normalerweise schriftlich ausformuliert.

(7) Gesamtkontrolle

Im Zuge der abschließenden Gesamtkontrolle überprüft man noch einmal, ob durch eine Änderung des Aufbaus der Inhalt besser zur Geltung kommt.

(8) Endgültige Stichwortfassung
Das zweite Stichwortkonzept ist die endgültige Fassung. Sie bildet eine präzise, verkürzte und klarere Version der ersten Fassung.

(9) Textmeditation
Die Textmeditation dient der gedächtnismäßigen Aneignung des Stoffes. Dabei konzentriert man sich in erster Linie auf das Einprägen des Gliederungsaufbaus und der Kerngedanken.

(10) Redeprobe
Der Vortrag sollte einmal stumm in Gedanken oder laut gehalten werden. Dadurch erhöht man die nötige Vortragssicherheit.

b) Vortragsbeginn

Der Beginn eines Vortrags dient der Einstimmung, ist ein erster Brückenschlag vom Redner zum Hörer. Man unterscheidet zwischen vier Techniken (Lemmermann o. J., S. 92):

– Vorspanntechnik
Die Vorspanntechnik zielt auf einen persönlichen Kontakt zum Hörer ab. Der römische Redelehrer Quintilian nennt dieses Bemühen »Captatio benevolentiae«, d. h. vor die wissenschaftliche Sachaussage tritt ein Vorspann z. B. in Form einer persönlichen Anekdote, um im Podium eine Art Denkoder gefühlsmäßige Gemeinschaft herzustellen.

– Aufhängertechnik
Die Aufhängertechnik steht in enger Beziehung zum eigentlichen Redeinhalt. Der Aufhänger beleuchtet z. B. schlaglichtartig eine empirische Situation, in der das zu behandelnde Thema relevant wird. Es läßt sich auch an ein charakteristisches Zitat aus dem betreffenden Forschungszweig anknüpfen oder auf ein empirisches Resultat verweisen oder ein Vergleich mit einer Nachbardisziplin finden. Diese Aufhängertechnik spielt beim wissenschaftlichen Fachvortrag oder bei einem Seminarreferat eine wichtige Rolle.

– Denkreiztechnik
Diese Technik wirft zu Beginn eines Vortrages ein Bündel von Problemen oder Fragen auf, die auf das eigentliche Thema zielen und im Verlauf des Vortrages beantwortet werden.
– Direkttechnik
Die Direkttechnik geht ohne Schnörkel sofort in medias res. Man erwähnt allenfalls den Anlaß des Referats und beginnt anschließend direkt mit dem Thema.

c) Durchführung des Vortrags

Die Einleitung wird stets kurz und bündig sein und nicht, frei nach Tucholskys Ratschlägen für einen schlechten Redner, immer drei Meilen vor dem Anfang beginnen (Lemmermann o.J., S. 100). Folgende Punkte finden Berücksichtigung:
(1) Darstellung des Themas
(2) Darlegung der Gliederungspunkte
(3) Erläuterung des Vortragsziels
(4) Begriffserklärung
(5) Formulierung von Thesen
Danach folgen die thematische Abhandlung (Hauptteil) und der Schluß.

Der Schluß wird vom Hauptteil klar abgesetzt, etwa mit den Worten: Ich fasse zusammen ... Er enthält stets eine zusammenfassende Wiederholung des vorgetragenen Stoffes. Dabei werden die Hauptgedanken so verdichtet, daß sie einprägsame Thesen bilden oder die Problemstellungen so akzentuiert, daß aus ihnen prägnante Kernsätze abgeleitet werden und die einzelnen Gedanken bündig und überzeugend dargelegt werden können.

5. Rhetorische Darstellungsmittel

Die rhetorischen Darstellungsmittel bilden ein wichtiges Element, um die Wirkung und das Verständnis eines Vortrags zu erhöhen.
Die folgende Übersicht gibt eine Zusammenfassung der

wichtigsten rhetorischen Mittel für einen wissenschaftlichen Vortrag.[1]

Veranschaulichungsmittel:

1. Beispiel
2. Vergleich aus dem Erfahrungshorizont des Hörers
3. Bild, Metapher

Verstärkungsmittel:

4. Wiederholung (von Kerngedanken)
5. Verdeutlichung (erweiternde Wiederholung)
6. Raffung (Kurzfassung)
7. Zitate
8. Chiasmus (Kreuzstellung)

Spannungsmittel:

9. Steigerung (Klimax)
10. Antithesen (Bildung von inhaltlichen Gegensätzen)
11. Kette (schlüssige Argumentationskette induktiver Art)

Kommunikative Mittel (Zuhörer einbeziehend):

12. Einschub
13. Einwandvorausnahme
14. Rhetorische Frage (Scheinfrage) ·
15. Synekdoche (Mitverstehen − verkürzende Ausdruckweise, da man bei den Hörern Verständnis voraussetzen kann für das, was gemeint ist.)

6. Rhetorische Technik

Aus der antiken Rhetorik, die eine Vielzahl von Stilfiguren zu höchster Blüte entwickelt hat, kennt man eine Reihe von technischen Mitteln, die heute zum rhetorischen Grundrepertoire gehören. Wer diese Mittel beherrscht, redet wirksam und versteht, seine Gedanken sprecherisch zu vermitteln. Wenn man auch als bündigsten Rat für eine gute Vortragsform Luthers Motto empfehlen kann: »Tritt frisch auf, mach's Maul auf, hör

---

[1] Vgl. die Übersicht von H. Lemmermann für die allgemeine freie Rede. Lemmermann o. J., S. 77.

bald auf«, so sind im einzelnen doch folgende Gesichtspunkte und Regeln zu beachten:

(1) Akustisch-phonetisches Tempo

Ein gemäßigtes Sprechtempo, etwa 80 bis 100 Wörter in der Minute, sind angemessen und gut verständlich. Man kann es praktisch durch lautes Vorlesen mit Stoppuhrkontrolle üben. Hastiges oder zu schnelles Sprechen beeinträchtigt die Wirkung auch inhaltlich brillanter Vorträge.

(2) Phonetik

Die meisten Vortragenden sprechen viel zu leise. Die Lautstärke ist sowohl der Größe des Zuhörerkreises als auch den räumlichen Gegebenheiten anzupassen.

Zur angemessenen Lautstärke gehört auch eine gute Artikulation. In den meisten Fällen beruht Undeutlichkeit des Sprechens auf einer vernachlässigten Aussprache und dem Unterschlagen von Endsilben.

(3) Rhetorische Pause

Die rhetorische Pause ist eines der wichtigsten Instrumente der Kommunikationstechnik. Sie gibt dem Sprechenden Gelegenheit, Gedanken vorzuformulieren und dem Hörer Zeit, über das Vorgetragene nachzudenken. Die Zäsur in der Rede ist eine Art schöpferische Pause. Wichtige Gedanken brauchen Zeit, nachwirken zu können. Deshalb sollte man sich immer wieder zu betonten Pausen zwingen.

(4) Blickkontakt

Der Blickkontakt ist während eines Vortrags unumgänglich, denn nur über ihn kann man die Wirkung seiner Gedanken und Worte laufend kontrollieren und gegebenenfalls Verständnisschwierigkeiten beim Zuhörer sofort erkennen. Außerdem steigt die Konzentration des Zuhörers, wenn er das Gefühl hat, daß zu *ihm* gesprochen wird.

(5) Mimik

Wer versteht, sein Interesse und seine Anteilnahme am Thema durch seine Mimik auszudrücken, wird dadurch die Aufmerksamkeit der Zuhörer verstärken.

(6) Gestik

Für die Gestik gilt im Prinzip ähnliches wie für die Mimik. Eine angemessene, dezente Gestik macht einen Vortrag lebendiger. Dabei sollte man sich auf sinnverstärkende Gesten beschränken, um eine besondere inhaltliche Bedeutung zu unterstreichen.

(7) Haltung

Für den Fall, daß der Referent stehen muß, spielt auch die Haltung eine Rolle. Man steht aufrecht, locker und fest auf beiden Füßen. Es ist zu vermeiden, daß man sich an einem Pult festhält und die Hände auf dem Rücken oder in den Taschen versteckt.

(8) Atmung

Es ist von größter Bedeutung, während des Vortrags ruhig und tief durchzuatmen und nicht eher auszuatmen, als gesprochen wird. Zu frühes Ausatmen erzeugt die bekannten ähh- und öhh-Laute, die eine ganze Rede nachhaltig stören können.

Man sollte im Rahmen eines regelmäßigen Atemtrainings täglich an der frischen Luft die Tiefatmung oder Zwerchfellatmung üben. Die normalerweise übliche Hochatmung führt zu Verkrampfungen in der Schulter (Lemmermann o.J., S. 12). Erst die Beherrschung einer guten Atemtechnik bildet die Voraussetzung für ein resonanzreiches Sprechen.

7. Der Fünfsatz – ein Gliederungs- und Ordnungsschema

Rhetorische Regeln dürfen nicht als verbindliche Formeln aufgefaßt werden, sondern bilden Gestaltungsmöglichkeiten, um sich in einer spezifischen Redesituation zu behaupten.

Als eine der bewährtesten rhetorischen Regeln gilt der »Fünfsatz« (Geißner 1974, S. 32 ff). Der Fünfsatz ist ein Verfahren, das erlaubt, mit wenigen Sätzen einen gegliederten Beitrag zu liefern, einen Sachverhalt möglichst vollständig zu erfassen und nichts Wesentliches zu vergessen. Die Methode des Fünfsatzes

bildet einen Rahmen, der die einzelnen Denkschritte wirkungs-
voll ordnet und den eigenen Denkansatz planvoll steuert. Dabei
wird jede Rede oder jeder Beitrag in fünf Abschnitte geteilt, die
in verschiedenen, aber festgelegten Formen aufeinander bezogen werden müssen. Der Fünfsatz ist also nicht als ein starres
Schema von fünf Sätzen zu interpretieren, sondern primär als
ein flexibler Konstruktionsplan für die Fünfgliedrigkeit von
Reden.

Das Ordnungsschema des Fünfsatzes geht in seiner Struktur
auf die antike Rhetorik zurück. Bis heute läßt sich eine Präfe-
renz für dieses Prinzip in zahlreichen Rede- und Argumen-
tationszusammenhängen nachweisen. So steht im Anwen-
dungskatalog des Fünferschemas z. B. die Disposition einer
Rede, die Argumentationstechnik, die Bildung von Thesen und
Hypothesen, ferner die Beweisführung, Stillehre, Grammatik
etc.[1]

Die Leistungen des Fünfsatzschemas liegen in folgenden
Komponenten (Geißner 1974, S. 40):

(1) Die Reduktion und Konzentration auf fünf Sätze bzw. Sinnabschnitte zwingt zu einem prägnanten Sprech- und Denk-
stil.

(2) Im ersten Satz wird der Brückenschlag zur Sprech- oder

---

[1] Nach dem antiken Vorbild ergibt sich für die Rededisposition die
Fünfgliedrigkeit durch Dreiteilung des Mittelteils. − Das Fünferschema der Argumentationstechnik resultiert aus den Alternativen
der Argumentationsweise, nämlich danach, ob man nach dem Gesichtspunkt 1) des Gerechten, 2) des Gesetzlichen, 3) des Nützlichen,
4) des Möglichen und 5) des Ehrenvollen argumentiert. − Für die
Darstellung von Thesen lautet das Fünferschema: 1) ob etwas ist, 2)
was es ist, 3) wie etwas beschaffen ist, 4) wie etwas zu erlangen ist und
5) wie es zu nutzen ist. − Hypothesen sind bestimmt durch: 1) perso-
na, 2) factum, 3) locus, 4) tempus, 5) causa. − Die Beweisführung
kann erfolgen 1) durch empirische Fälle, 2) aus dem Gedächtnis
(Historisches), 3) durch Induktion, 4) durch Ähnlichkeit und 5) unter
Bezugnahme auf eine Autorität. Die Fünfersequenzen in der Grammatik sind z. B. 1) Laut, 2) Silbe, 3) Wort, 4) Satz, 5) Text. (Geißner
1974, S. 33 ff).

Gedankensituation des Vorredners hergestellt. Dadurch ist das Fünferschema kommunikativ.

(3) Der dreifach gegliederte Mittelteil dient zur Veranschaulichung, zum Beweis, zur Begründung oder zur Erläuterung. Dadurch enthält der Fünfsatz eine logische Ordnung.

(4) Im fünften Satz, dem Zweck- oder Ergebnissatz, wird das Sinnganze eines Beitrages zugespitzt. Das Fünferschema ist redewirksam.

Folgende formale Verläufe des Fünferschemas sind denkbar (Geißner 1974, S. 40). Dabei wird stets der fünfte (Ergebnis-) Satz zuerst geplant und aus ihm die ersten vier abgeleitet. Die Reihenfolge beim Sprechen ist dann umgekehrt.[1]

(1) Grunddisposition
Die Grunddisposition ist eine Fünfgliedrigkeit der Rede, bestehend aus Einleitung, dreiteiligem Mittelteil und Schluß. Die Denkschritte im Mittelteil sind gleichgewichtig.[2]

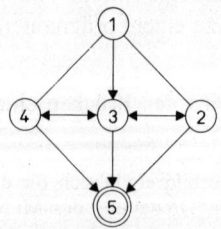

[1] Alle im folgenden aufgeführten Leitsätze bilden lediglich Beispiele für die Konstruktion eines Fünfsatzes. Im Falle einer Rede sind die Sätze als Gliederungspunkte für einen Sinnabschnitt zu interpretieren.

[2] Die folgenden graphischen Darstellungen gehen im wesentlichen zurück auf Geißner 1974, S. 40 ff.

(2) Die Kette
Die Kette ermöglicht eine streng chronologische
oder induktive Abhängigkeit der Teilgedanken.

z. B.

(1) Die konkrete Erfahrung zeigt, daß
...

(2) Daraus folgt erstens ...
(3) Daraus folgt zweitens ...
(4) Daher ist das Ergebnis ...
(5) Grundsätzlich läßt sich also sagen,
daß ...

(3) Der dialektische Aufbau
Der dialektische Aufbau stellt einer These eine Antithese,
eine gegensätzliche Ansicht gegenüber, um anschließend
eine Synthese, einen gemeinsamen Nenner zu finden.

z. B.

(1) Im Referat sind eine Reihe interes-
santer Gesichtspunkte.
(2) Unter anderem ist die These geäu-
ßert worden, daß ...
(3) Dagegen spricht allerdings, daß ...
(4) Vergleicht man beide Ansichten,
ergibt sich folgender gemeinsamer
Nenner:
(5) Aus diesem Grund schlage ich vor
...

(4) Vom Allgemeinen zum Besonderen
Diese Disposition entspricht der deduktiven Argumentation. Dieses Schema bildet einen geeigneten Rahmen für die vielfältigsten Aufgaben einer freien Rede.

z. B.

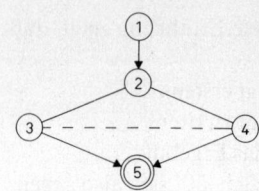

(1) Gemeinhin kann man sagen, daß ...

(2) Aus unserer Erfahrung zeigt sich (aber) besonders, daß ...

(3) Denn erstens ...

(4) Außerdem zweitens ...

(5) Folglich kann man ableiten, daß ...

(5) Der Vergleich
Der Vergleich dient dazu, den eigenen Standpunkt gegenüber alternativen Positionen zum Ausdruck zu bringen.

z. B.

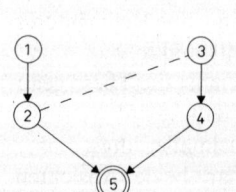

(1) Der Diskussionsteilnehmer A hat folgenden Standpunkt ...

(2) Er begründet ihn mit ...

(3) Der Diskussionsteilnehmer B vertritt den entgegengesetzten Standpunkt ...

(4) Er begründet ihn mit ...

(5) Ich kann mich beiden nicht anschließen, sondern ...

(6) Der Kompromiß

Besonders für die Rolle des Diskussionsleiters eignet sich die Kompromißtechnik, um eine kontroverse Debatte konstruktiv weiterzuführen.

z. B.

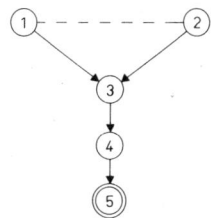

(1) A behauptet, daß ...

(2) B widerspricht mit dem Argument, daß ...

(3) Mir scheint, die beiden treffen sich in einem Punkt, nämlich ...

(4) Hier liegt möglicherweise ein Ansatz, denn ...

(5) Wir sollten in dieser Richtung weiterdenken.

(7) Die Ausklammerungstechnik

Dieses letzte Schema dient dazu, eine Diskussion, die sich an der Peripherie des eigentlichen Themas festhält, wieder in das Zentrum zu führen.

z. B.

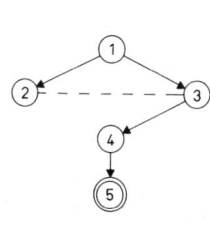

(1) Wir sprechen schon eine Weile über ...

(2) Es dreht sich alles um ...

(3) Dabei wird übersehen, daß ...

(4) Gerade aber dieser Aspekt ist besonders wichtig, weil ...

(5) Wir sollten die Diskussion an diesem Punkt fortsetzen.

Diese sieben Varianten des Fünfsatzschemas bilden die möglichen Kombinationen, um einen Denkplan redewirksam umzusetzen (Geißner 1974, S. 42).

Die formalen Varianten des Fünferschemas unterstützen nicht nur den Diskussionsleiter bei seiner Funktion, Erörterungen einleiten, anreizen, bündeln und zusammenfassen zu müssen, das Fünferschema hilft auch besonders den Studierenden bei der gedanklichen Gliederung von Diskussions- und Seminarbeiträgen oder von Prüfungsgesprächen; es ist ein Instrument zur Kurzvorbereitung eines Korreferates, und es dient schließlich auch in erweiterter Form als Denkgerüst für einen längeren Vortrag.

Wer die sprechdenkende Konzentration im Fünfsatz zu beherrschen lernt, wird es leichter haben, zu einem Thema oder in einer Redesituation überzeugend, klar und pointiert Stellung zu beziehen.

Ausgewählte Literatur

Geißner, H. 1974: Zum Fünfsatz, in: Rhetorik in der Schule, hrsg. von J. Dyck, Kronberg/Ts., S. 32 ff.

Hasselhorn M. (Hg.), 1976: Wirkungsvoller lernen und arbeiten, Heidelberg.

Lemmermann, H. 1986: Lehrbuch der Rhetorik, München.

Möller, G. 1967: Auch das Lernen will gelernt sein, Berlin (Ost).

Spandl, O. P. 1971: Die Organisation der wissenschaftlichen Arbeit, Braunschweig.

Zielke, W. 1975: Artikel »Kommunikationstechnik«, in: Management Enzyklopädie, Bd. 5, München.

Kapitel VI
Leseliste für das Studium der Soziologie

Die Leseliste hat den Zweck, den Studierenden einen Überblick über grundlegende Buchtitel zu zentralen Themenbereichen des Faches zu geben:

1. Allgemeine Einführung und Lehrbücher
2. Analysen der Sozialstruktur der Bundesrepublik Deutschland
3. Methoden und Techniken der empirischen Sozialforschung
4. Soziologische Theorie
5. Geschichte der Soziologie

Es wurde jeweils eine Auswahl getroffen, mit der weniger Ausgewogenheit zwischen verschiedenen theoretischen Standorten erreicht werden soll, als vielmehr Alternativen für ein vertiefendes und differenziertes Literaturstudium anzubieten. Auf eine Erweiterung der Leseliste um Angaben zu den verschiedenen Spezialsoziologien wurde bewußt verzichtet. Überschneidungen zwischen den Leselisten ›Soziologische Theorie‹ und ›Geschichte der Soziologie‹ waren nicht zu vermeiden, wo es sich um Darstellungen klassischer Ansätze der Soziologie und theoretischer Hauptströmungen handelt.

Das Schwergewicht liegt auf deutschsprachigen Veröffentlichungen, da erfahrungsgemäß fremdsprachige Texte nur ungern herangezogen werden.

1. Allgemeine Einführungen und Lehrbücher

Abels, Heinz u. a.: Gesellschaft lernen. Einführung in die Soziologie, 2., durchges. Aufl., Opladen 1989.

Arbeitsgruppe Soziologie: Denkweisen und Grundbegriffe der Soziologie. Eine Einführung, 10., rev. u. erw. Aufl., Frankfurt/M. 1992.

Bahrdt, Hans Paul: Schlüsselbegriffe der Soziologie: Eine Einführung mit Lehrbeispielen, München 1984.

Bahrdt, Hans Paul: Wege zur Soziologie, 7., erw. Aufl., München 1974.

Bellebaum, Alfred: Soziologische Grundbegriffe. Eine Einführung für soziale Berufe, 11., verb. Aufl., Frankfurt/M. 1992.

Berger, Peter L.: Einladung zur Soziologie: Eine humanistische Perspektive. 3. Aufl., München 1982.

Berger, Peter L.: Wir und die Gesellschaft: Eine Einführung in die Soziologie, Hamburg 1982.

Dahrendorf, Ralf: Einleitung in die Sozialwissenschaft, Zürich 1971.

Deckmann, Birgit: Soziologie im Alltag: Eine Einführung, 5., überarb. Aufl., Weinheim 1988.

Eisermann, Gottfried (Hg.): Die Lehre von der Gesellschaft. Ein Lehrbuch der Soziologie, Studienausgabe, Stuttgart 1973.

Elias, Norbert: Was ist Soziologie?, 4. Aufl., München 1981.

Friedrich, Jürgen: Grundlagen der Soziologie. Ein Lehr- und Arbeitsbuch, 2., verbess. Aufl., Frankfurt 1984.

Fürstenberg, Friedrich: Soziologie. Hauptfragen und Grundbegriffe, 3., verb. Aufl., Berlin/New York 1978.

Gehlen, Arnold und Helmut Schelsky (Hgg.): Soziologie. Ein Lehr- und Handbuch zur modernen Gesellschaftskunde, 8. Aufl., Düsseldorf/Köln 1971.

Henecka, Hans Peter: Grundkurs Soziologie, Opladen 1985.

Homans, George C.: Was ist Sozialwissenschaft?, 2. Aufl., Opladen/Wiesbaden 1972.

Inkeles, Alex: What is Sociology?, New York 1964.

Kiss, Gabor: Steckbrief der Soziologie, Heidelberg 1976.

Klages, Helmut: Soziologie zwischen Wirklichkeit und Möglichkeit, Opladen/Wiesbaden 1968.

Lazarsfeld, Paul F.: Soziologie, Frankfurt/Berlin/Wien 1973.

Matthes, Joachim: Einführung in das Studium der Soziologie, Reinbek, 2. Aufl., 1976.

Mayntz, Renate, Kurt Holm und Peter Hübner: Soziologen im Studium, Stuttgart 1970.

Reimann, Horst (Hg): Basale Soziologie. Hauptprobleme, 4., verb. Aufl., Opladen/Wiesbaden 1991.

Ritsert, Jürgen: Gesellschaft. Einführung in den Grundbegriff der Soziologie, Frankfurt/M. 1988.

Schaefer, Richard T.: Sociology, New York 1983.

Schäfers, Bernhard: Grundbegriffe der Soziologie, Opladen 1986.

Scheuch, Erwin K. und Thomas Kutsch: Grundbegriffe der Soziologie, 1. Bd.: Grundlegung und elementare Phänomene, 2., überarb. Aufl., Stuttgart 1975.

Smelser, Neil J. (Hg.): Sociology. An Introduction, 2. Aufl., New York/London 1973.

Wallner, Ernst M.: Soziologie. Einführung in Grundbegriffe und Probleme, 6., neubearb. u. erw. Aufl., Heidelberg 1979.

Wiswede, Günter: Soziologie. Ein Lehrbuch für den wirtschaftswissen-

schaftlichen Bereich, 2., völlig überarb. u. erw. Aufl., Landsberg/
Lech 1991.

Wössner, Jakobus: Soziologie. Einführung und Grundlegung, 6. Aufl.,
Wien/Köln/Graz 1975.

2. Analysen der Sozialstruktur der Bundesrepublik Deutschland

Allerbeck, Klaus: Demokratisierung und sozialer Wandel in der Bundesrepublik Deutschland, Opladen/Wiesbaden 1976.

Ballerstedt, Eike und Wolfgang Glatzer: Soziologischer Almanach. Handbuch gesellschaftspolitischer Daten und Indikatoren für die Bundesrepublik Deutschland, 3. Aufl., Frankfurt/M.–New York 1979.

Bolte, Karl Martin (Hg.): Deutsche Gesellschaft im Wandel, Band 1, Opladen 1967, Band 2, Opladen 1970.

Bolte, Karl Martin: Sozialstruktur im Umbruch, Opladen 1984.

Bolte, Karl Martin und Stefan Hradil: Soziale Ungleichheit in der Bundesrepublik, Opladen 1984.

Claessens, Dieter u. a.: Sozialkunde der Bundesrepublik, vollst. überarb. Neuaufl., Hamburg 1989.

Dahrendorf, Ralf: Gesellschaft und Demokratie in Deutschland, 2. Aufl., München 1972.

Fürstenberg, Friedrich: Die Sozialstruktur der Bundesrepublik Deutschland, 6., neubearb. Aufl., Opladen/Wiesbaden 1978.

Geißler, Rainer: Die Sozialstruktur Deutschlands. Ein Studienbuch zur Entwicklung im geteilten und vereinten Deutschland, Opladen 1992.

Hradil, Stefan: Sozialstrukturanalyse in einer fortgeschrittenen Gesellschaft, Opladen 1987.

Schäfers, Bernhard: Sozialstruktur und Wandel der Bundesrepublik Deutschland, Stuttgart 1976.

Schäfers, Bernhard: Gesellschaftlicher Wandel in Deutschland. Ein Studienbuch zur Sozialstruktur und Sozialgeschichte der Bundesrepublik, 5., völlig neu bearb. u. erw. Aufl., Stuttgart 1990.

Timmermann, H.: Sozialstruktur und sozialer Wandel in der DDR, 2. Aufl., Saarbrücken 1989.

Zapf, Wolfgang (Hg.): Lebensbedingungen in der BRD: Sozialer Wandel und Wohlfahrtsentwicklung, Frankfurt/M. 1977.

Zapf, Wolfgang: Die Modernisierung moderner Gesellschaften, Frankfurt/M. 1991.

3. Methoden und Techniken der empirischen Sozialforschung (einschl. Statistik für Sozialwissenschaftler)

Aleman, Heine von: Der Forschungsprozeß. Eine Einführung in die Praxis der empirischen Sozialforschung, 2. Aufl., Stuttgart 1984.

Atteslander, Peter: Methoden der empirischen Sozialforschung, 6., erw. Aufl., Berlin/New York 1991.

Bales, Robert F.: Interaction Process Analysis, Cambridge (Mass.) 1950.

Bogumil, Jörg u.a.: Wahrnehmungsweisen empirischer Sozialforschung. Zum (Selbst-)Verständnis des sozialwissenschaftlichen Erfahrungsprozesses, Frankfurt 1985.

Bortz, Jürgen: Lehrbuch der empirischen Forschung, Berlin 1984.

Bortz, Jürgen: Lehrbuch der Statistik. Für Sozialwissenschaftler, 2. Aufl., Berlin 1985.

Clauß, Günter und Heinz Ebner: Grundlagen der Statistik für Psychologen, Pädagogen und Soziologen, Nachdruck der 4., neubearb. u. erw. Aufl., Berlin 1982.

Costas, Ilse: Grundlagen der Wirtschafts- und Sozialstatistik, Frankfurt/M. 1985.

Friedrichs, Jürgen: Methoden empirischer Sozialforschung, 14. Aufl., Reinbek 1990.

Galtung, Johan: Theory and Methods of Social Research, New York/London/Oslo 1967.

Habermehl, Werner: Angewandte Sozialforschung, München 1992.

Hartmann, Heinz: Empirische Sozialforschung. Probleme und Entwicklungen, 2. Aufl., München 1972.

Heinze, Thomas: Qualitative Sozialforschung. Erfahrungen, Probleme und Perspektiven, Opladen 1987.

Jaufmann, Dieter u.a.: Empirische Sozialforschung im vereinten Deutschland. Bestandsaufnahme und Perspektiven, Frankfurt/M. 1992.

Kern, Horst: Empirische Sozialforschung. Ursprünge, Ansätze, Entwicklungslinien, München 1982.

Koch, Heinz: Grundkurs SPSS: Eine handhabbare Einführung in die Grundlagen eines Datenanalyse-Systems für Sozialwissenschaftler, Bochum 1978.

König, René (Hg.): Handbuch der empirischen Sozialforschung, Bdd. 1, 2, 3a, 3b der TB-Ausgabe, 3. Aufl., Stuttgart 1973.

Kromrey, Helmut: Empirische Sozialforschung – Modelle und Methoden der Datenerhebung und Datenauswertung, 3., überarb. Aufl., Opladen 1986.

Lazarsfeld, Paul E.: Am Puls der Gesellschaft. Zur Methodik der empirischen Sozialforschung, Frankfurt 1968.

Mayntz, Renate, Kurt Holm und Peter Hübner: Einführung in die Methoden der empirischen Sozialforschung, 5. Aufl., Opladen/Wiesbaden 1978.

Moreno, Jacob L.: Die Grundlagen der Soziometrie. Wege zur Neuordnung der Gesellschaft, 3. Aufl., Opladen 1974.

Neurath, Paul: Statistik für Sozialwissenschaftler, Stuttgart 1966.

Patzelt, Werner J.: Einführung in die sozialwissenschaftliche Statistik, München 1985.

Pfanzagl, Johann: Allgemeine Methodenlehre der Statistik, Band 1, 5. Aufl., Berlin 1972; Band 2, 4., verb. Aufl., Berlin 1974.

Porst, Rolf: Praxis der Umfrageforschung, Stuttgart 1987.

Schnell, Rainer u.a.: Methoden der empirischen Sozialforschung, 2., überarb. u. erw. Aufl., München 1989.

Schrader, Achim: Einführung in die empirische Sozialforschung. Leitfaden für die Planung und Bewertung von nicht-experimentellen Forschungsprojekten, 2. Aufl., Stuttgart 1973.

Selltiz, Claire u.a.: Research Methods in Social Relations, New York 1959.

Wallis, W. Allen und Harry V. Roberts: Methoden der Statistik, [Reinbek] 1969.

Zelditch, Morris: A Basic Course in Sociological Statistics, New York 1959.

4. Soziologische Theorie
(einschließlich Wissenschaftstheorie)

Adorno, Theodor W. u.a.: Der Positivismusstreit in der deutschen Soziologie, 6. Aufl., Neuwied/Rh. und Berlin 1978.

Albert, Hans (Hg.): Theorie und Realität. Ausgewählte Aufsätze zur Wissenschaftslehre der Sozialwissenschaften, 2., veränd. Aufl., Tübingen 1972.

Alexander, Jeffrey C.: Structure and meaning: relinking class. sociology, New York 1989.

Coser, Lewis A. und Bernard Rosenberg: Sociological Theory: A Book of Readings, 3. Aufl., New York 1969.

Dahrendorf, Ralf: Pfade aus Utopia. Arbeiten zur Theorie und Methode der Soziologie, 3. Aufl., München 1974.

Dahrendorf, Ralf: Homo Sociologicus, 15. Aufl., Opladen 1977.

Durkheim, Emile: Regeln der soziologischen Methode, Frankfurt/M. 1984 [Paris [1]1895].

Eisermann, Gottfried (Hg.): Soziologisches Lesebuch, Stuttgart 1969.

Geiger, Theodor: Vorstudien zu einer Soziologie des Rechts, 4. Aufl., Neuwied/Berlin 1987 [Kopenhagen [1]1947].

Giddens, Anthony: Die Konstitution der Gesellschaft: Grundzüge einer Theorie der Strukturierung, Frankfurt/M. 1988.

Giesen, Bernhard und Michael Schmid: Basale Soziologie. Wissenschaftstheorie, Opladen/Wiesbaden 1976.

Goffman, Erving: Wir alle spielen Theater. Die Selbstdarstellung im Alltag. 2. Aufl., München 1973.

Habermas, Jürgen: Zur Logik der Sozialwissenschaften, erw. Ausgabe, Frankfurt/M. 1985.

Habermas, Jürgen und Niklas Luhmann: Theorie der Gesellschaft oder Sozialtechnologie − Was leistet die Systemforschung?, Frankfurt 1974.

Haferkamp, Hans: Soziologie als Handlungstheorie, 3. Aufl., Opladen/Wiesbaden 1976.

Hartmann, Heinz (Hg.): Moderne amerikanische Soziologie, Stuttgart 1967.

Heintz, Peter: Einführung in die soziologische Theorie, 2., erw. Aufl., Stuttgart 1968.

Homans, George C.: Grundfragen der soziologischen Theorie. Aufsätze, Opladen 1972.

Hondrich, Karl Otto: Theorie der Herrschaft, Frankfurt/M. 1973.

Hondrich, Karl Otto: Theorienvergleich in den Sozialwissenschaften, Darmstadt 1978.

Horkheimer, Max (mit Theodor W. Adorno): Dialektik der Aufklärung, 3. Aufl., Frankfurt/M. 1976.

Horkheimer, Max: Kritische Theorie, 2 Bde., 2. Aufl., Frankfurt/M. 1972.

Horkheimer, Max: Traditionelle und kritische Theorie, 6. Aufl., Frankfurt/M. 1975.

Käsler, Dirk: Wege in die soziologische Theorie, München 1974.

Leinfellner, Werner: Einführung in die Erkenntnis- und Wissenschaftstheorie, 2., erw. Aufl., Mannheim 1967.

Lévi-Strauss, Claude: Strukturale Anthropologie, Frankfurt/M. 1967.

Luhmann, Niklas: Soziologische Aufklärung, Bd. 1, 4. Aufl., Opladen/Wiesbaden 1974; Soziologische Aufklärung 2, Opladen/Wiesbaden 1975.

Luhmann, Niklas: Soziologische Aufklärung, Bd. 3, Soziale Systeme, gesellschaftliche Organisationen, Frankfurt/M. 1981.

Luhmann, Niklas: Soziale Systeme: Grundriß einer allgemeinen Theorie, 1. Aufl., Frankfurt/M. 1984.

Luhmann, Niklas: Soziologische Aufklärung, Bd. 4, Differenzierung der Gesellschaft, Frankfurt/M. 1987.

Luhmann, Niklas: Beobachtungen der Moderne, Opladen 1992.

Marcuse, Herbert: Kultur und Gesellschaft, Band 1, Frankfurt 1975, Band 2, Frankfurt 1970.

Mead, George Herbert: Geist, Identität und Gesellschaft, Frankfurt/M. 1973.

Merton, Robert K.: Social Theory and Social Structure, New York 1968.
Mikl-Harke, Gertraude: Soziologie: historischer Kontext und soziologische Theorie-Entwürfe, 2., durchges. Aufl., Berlin 1992.
Mills, C. Wright: Kritik der soziologischen Denkweise, Neuwied/Rh. 1973.
Münch, Richard: Theorie sozialer Systeme. Eine Einführung in Grundbegriffe, Grundannahmen und logische Struktur, Opladen/Wiesbaden 1976.
Münch, Richard: Theorie des Handelns, Frankfurt/M. 1982.
Parsons, Talcott: Beiträge zur soziologischen Theorie, 3. Aufl., Darmstadt und Neuwied 1973.
Parsons, Talcott: Zur Theorie sozialer Systeme, Opladen/Wiesbaden 1976.
Parsons, Talcott: Gesellschaften, Frankfurt 1975.
Peukert, Helge: Parsons, Pareto, Habermas: Eine Studie zur soziologischen Theoriediskussion, Idstein 1992.
Popper, Karl R.: Logik der Forschung, 6. Aufl., Tübingen 1976.
Prim, Rolf und Heribert Tilmann: Grundlagen einer kritisch-rationalen Sozialwissenschaft. Studienbuch zur Wissenschaftstheorie, 6., durchges. u. erw. Aufl., Heidelberg 1989.
Reimann, Horst (Hg.): Basale Soziologie. Theoretische Modelle, 4., verb. Aufl., Opladen/Wiesbaden 1991.
Schütz, Alfred: Strukturen der Lebenswelt, 2. Aufl., Frankfurt/M. 1984.
Topitsch, Ernst (Hg.): Logik der Sozialwissenschaften, 8. Aufl., Köln/Berlin 1972.
Weber, Max: Soziologie, Universalgeschichtliche Analysen, Politik, 5., überarb. Aufl., Stuttgart 1973.
Weber, Max: Wirtschaft und Gesellschaft, 1. Halbband, 2. Halbband, 5., rev. Aufl., Tübingen 1976 [[1]1921].

5. Geschichte der Soziologie (Sekundärliteratur)

Aron, Raymond: Hauptströmungen des soziologischen Denkens, 2. Aufl., Köln 1979.
Hauck, Gerhard: Geschichte der soziologischen Theorie: Eine ideologiekritische Einführung, Hamburg 1984.
Heckmann, Friedrich: Einführung in die Geschichte der Soziologie, Stuttgart 1984.
Jonas, Friedrich: Geschichte der Soziologie, 2bändige Neuausgabe, 2. Aufl., Reinbek 1981.
Käsler, Dirk (Hg.): Klassiker des soziologischen Denkens, Bd. 1, München 1976; Bd. 2, München 1978.
Kiss, Gabor: Einführung in die soziologischen Theorien I, 3., verb.

Aufl., Opladen/Wiesbaden 1977; Einführung in die soziologischen Theorien II, 3. Aufl., Opladen/Wiesbaden 1977.

Klages, Helmut: Geschichte der Soziologie, 2. Aufl., München 1972.

König, Rene: Soziologie in Deutschland: Begründer, Verfechter, Verächter, München 1987.

Mills, C. Wright: Klassik der Soziologie, Frankfurt/M. 1966.

Schoeck, Helmut: Geschichte der Soziologie. Ursprung und Aufstieg der Wissenschaft von der menschlichen Gesellschaft, Freiburg 1973.

Tilly, Charles: As Sociology meets History, New York 1981.

Wiese, Leopold v.: Geschichte der Soziologie (früherer Titel: Soziologie, Geschichte und Hauptprobleme, [1]1926), 9. Aufl., Berlin 1971.

Kapitel VII
Verzeichnis der Zeitschriften in der Soziologie

Acta Sociologica	Kobenhaven
Actes de la Recherche en Sciences Sociales	Paris
Actions et Recherches Sociales	Evry
Affari Sociali Internazionali	Milano
American Behavioural Scientist	Beverly Hills, CA
American Journal of Economics and Sociology	New York, N.Y.
American Journal of Political Science	Austin, TX
American Journal of Sociology	Chicago, IL
American Sociological Review	Washington, D.C.
The American Sociologist	Washington, D.C./ New York
Análise Social	Lisbon
Annales de L'Institut International de Sociologie	Paris
Annales-Économies, Sociétés, Civilisations	Paris
Année Sociologique	Paris
Annual Review of Sociology	Palo Alto, CA
Archiv für Soziologie u. Wirtschaftsfragen des Buchhandels	Frankfurt
Archiv für Wissenschaft u. Praxis der sozialen Arbeit	Frankfurt
Archives de Sciences Sociales des Religions	Paris
Archives Européennes de Sociologie / European Journal of Sociology / Europäisches Archiv für Soziologie	Cambridge (UK), New York, N.Y.
Australian and New Zealand Journal of Sociology	Melbourne
Behavioural Science	Louisville, KY
Berkeley Journal of Sociology	Berkeley, CA
British Journal of Sociology	London
Bulletin of the American Society for Information Science	Washington, D.C.
Cahiers de Sociologie Économique et Culturelle	Le Havre
Cahiers de Sociologie et de Démographie Médicales	Paris
Cahiers Internationaux de Sociologie	Paris
Canadian Journal of Sociology / Cahiers Canadiens de Sociologie	Edmonton, AB

Canadian Review of Sociology and Anthropology / Comparative Social Research	Greenwich, CT
Comparative Studies in Society and History	Cambridge
Contributions to Indian Sociology	New Delhi
Cornell Journal of Social Relations	Ithaca, N.Y.
Critica Sociologica	Roma
Current Sociology / Sociologie Contemporaine	London
Demografie	Praha
Demography	Ann Arbor, MI
Deutsche Studien	Berlin
Deutschland Archiv	Köln
Development and Change	London
Déviance et Société	Genève
East European Quarterly	Boulder, CO
Economic and Social Review	London
Economic Development and Cultural Change	Chicago, IL
Économie et Statistique	Paris
Économies et Sociétés	Genève
Economisch en Sociaal Tijdschrift / Vie Économique et Sociale	Antwerpen
Economy and Society	London
Éducation et Société	Paris
Espaces et Sociétés	Paris
Gérontologie et Société	Paris
Geschichte und Gesellschaft	Göttingen
History of Sociology	Lawrence, KS
Hitotsubashi Journal of Social Studies	Tokyo
Hommes et Migrations	Paris
Human Organization	New York, N.Y.
Human Relations	London
Ideas en Ciencias Sociales	Buenos Aires
Indian Journal of Social Research	New Delhi
Indian Journal of Social Work	Maharashtra
Industrial Relations, Journal of Economy and Society	Berkeley, CA
Informations Sociales	Paris
Inquiry	Oslo
Insurgent Sociologist	Eugene, OR

Internationales Jahrbuch f. Wissens- u. Religionssoziologie	Wiesbaden / Opladen
International Journal of Comparative Sociology	Leiden
International Journal of Contemporary Sociology	Ghaziabad
International Journal of Intercultural Relations	New York, N.Y.
International Journal of Middle East Studies	Cambridge, New York, N.Y.
International Journal of Social Economics	Bradford
International Journal of Sociology	Armonk, N.Y.
International Journal of Sociology and Social Policy	Hull
International Journal of the Sociology of Language	The Hague
International Journal of the Sociology of Law	London
International Journal of Urban and Regional Research	London
International Migration / Migrations Internationales	Geneva
International Migration Review	New York, N.Y.
International Social Science Journal / Revue Internationale des Sciences Sociales	Paris
International Social Science Review	Toledo, OH
Izvestiâ Sibiskogo Otdeleniâ Akademii Nauk SSSR. Seriâ Èkonomiki i Prikladnoj Socilogii	Novosibirsk
Jahrbuch der Österreichischen Gesellschaft für Soziologie	Wien
Jahrbuch für Christliche Sozialwissenschaften	Münster – Göttingen
Jahrbuch für Rechtssoziologie und Rechtstheorie	Wiesbaden / Opladen
Jewish Journal of Sociology	London
Journal de la Société de Statistique de Paris	Paris
Journal for the Theory of Social Behaviour	Oxford
Journal für Sozialforschung	Vienna
Journal of Applied Behavioral Science	New York, N.Y.
Journal of Applied Social Psychology	Washington, D.C.
Journal of Biosocial Science	Oxford
Journal of Family History	Minneapolis, MN
Journal of Human Resources	Madison, WI
Journal of Law and Society	Oxford
Journal of Marriage and the Family	Minneapolis, MN
Journal of Mathematical Sociology	London
Journal of Political and Military Sociology	Dekalb, IL

Journal of Social, Political and Economic Studies	Washington, D.C.
Journal of the Institute for Socioeconomic Studies	White Plains, N.Y.
Journal of the Institute for Socioeconomic Studies	White Plains, N.Y.
Journal of the Market Research Society	London
Kölner Zeitschrift für Soziologie und Sozialpsychologie	Opladen
Kursbuch	Berlin
Kyklos	Basel
Labour, Capital and Society	Montréal, PQ
Leviathan	Wiesbaden
Loisir et Société / Society and Leisure	Sillery, PQ
Manchester School of Economic and Social Studies	Manchester
Media, Culture and Society	London
Mitteilungen aus der Arbeitsmarkt- und Berufsforschung	Stuttgart
Mitteilungsblatt der Zentralen Wissenschaftlichen Einrichtung »Arbeit und Betrieb«	Stuttgart
Netherlands' Journal of Sociology / Sociologia Neerlandica	Amsterdam
Die Neue Gesellschaft	Bonn – Bad Godesberg / Bielefeld
Notas de Población	Santiago
Nueva Sociedad	Caracas
Österreichische Zeitschrift für Soziologie (ÖZS)	Wien
Opinion Publique	Paris
Patterns of Prejudice	London
Peace and Change	Kent, OH
Philosophy of the Social Sciences / Philosophie des Sciences Sociales	Waterloo, ON
Plural Societies	The Hague
Polish Sociological Bulletin	Warsaw
Political Affairs	New York, N.Y.
Political Power and Social Theory	Greenwich, CT
Political Studies	Oxford
Politik und Zeitgeschichte	Bonn
Problemas del Desarrollo	México

Problèmes Sociaux Zaïrois	Lubumbashi
Public Opinion	Washington, DC
Public Opinion Quarterly	New York, N.Y.
Quality and Quantity, European Journal of Methodology	Amsterdam / Padua / Bologna
Rassegna Italiana di Sociologia	Bologna
Recherche Sociale	Paris
Recherches Internationales	Paris
Recherches Sociographiques	Québec, PQ
Recherches Sociologiques	Louvain
Regional Studies	Cambridge (UK) – Islamabad
Research in Social Movements, Conflicts and Change	Greenwich, CT
Research in Social Stratification and Mobility	Greenwich, CT
Revija za Sociologiju	Zagreb
Revista de Administracao Pública	Rio de Janeiro
Revista de Ciencias Sociales (San José)	San José
Revista de Estudios Agro-sociales	Madrid
Revista de Fomento Social	Madrid
Revista de Statistcà	Bucuresti
Revista Española de Investigaciones Sociológias	Madrid
Revista Internacional de Sociología (Madrid)	Madrid
Revista Mexicana de Ciencias Politicas y Sociales	Mexico
Revista Mexicana de Sociología	México
Revue des Sciences Sociales	Strasbourg
Revue du Travail	Bruxelles
Revue Économique et Sociale	Lausanne-Dorigny
Revue Européenne des Migrations Internationales	Poitiers
Revue Européenne des Sciences Sociales. Cahiers Vilfredo Pareto	Genève
Revue Francaise de Sociologie	Paris
Revue Francaise des Affaires Sociales	Paris
Revue Internationale de Sociologie / International Review of Sociology	Rome
Revue Internationale des Sciences Administratives	Bruxelles
Revue Roumaine des Sciences Sociales. Série de Sociologie	Bucuresti
Revue Tunisienne de Sciences Sociales	Tunis
Ricerca Sociale	Milan
RS. Cuadernos de Realidades Sociales	Madrid

Ruch Prawniczy, Ckonomiczny i Socjologiczny	Posnań
Rural Sociology	Lexington, KY – Knoxville, TN
Schweizerische Zeitschrift für Soziologie / Revue Suisse de Sociologie	St. Saphorin
Sciences Sociales et Santé	Paris
Service Social dans le Monde	Bruxelles
Sistema	Madrid
Social Action	New Delhi
Social and Economic Studies	Mona
Social Compass	Louvain-la-Neuve
Social Forces	Chapel Hill, NC
Social Indicators Research	Dordrecht
Social Networks	Bethlehem, PA
Social Problems	Buffalo, N.Y.
Social Research	New York, N.Y.
Social Science Information / Information sur les Sciences Sociales	Paris
Social Science Quarterly	Austin, TX – Baton Rouge, LA
Social Science Research	New York, N.Y.
Social Sciences in China	Peking
Social Service Review	Chicago, IL
Socialist Review	San Francisco, CA
Society	New Brunswick, NJ
Sociologia	Rome
Sociologia Internationalis	Berlin
Sociologia Ruralis	Assen
Sociological Abstracts	New York, N.Y.
Sociological Analysis	San Antonio, TX
Sociological Bulletin / Indian Sociological Society	New Delhi / Bombay
Sociological Focus	Akron, OH
Sociological Inquiry	Austin, TX
Sociological Methodology	San Francisco, CA
Sociological Methods and Research	Beverly Hills, CA
Sociological Perspectives	Beverly Hills, CA – London
Sociological Quarterly	Carbondale, IL
Sociological Review	Keele
Sociologičeskie Issledovaniâ	Moskva
Sociologie du Travail	Paris
Sociologie et Sociétés	Montréal, PQ

Sociologija	Beograd
Sociologija Sela	Zagreb
Sociologische Gids	Meppel
Sociologus	Berlin
Sociology (London)	London
Sociology and Social Research	Los Angeles, CA
Sociology of Education	Washington, DC
Sociology of the Sciences	Dordrecht
Sociometry	Washington, DC/ New York, N.Y.
Soviet Sociology	White Plains / N.Y.
Soziale Welt	Göttingen
Sozialwissenschaftliche Informationen für Unterricht und Studium	Stuttgart
Soziologie, Mitteilungsblatt der Deutschen Gesellschaft für Soziologie	Stuttgart
Soziologische Revue, Besprechung neuer Literatur	Münster / München
SSIP-Bulletin (Hg.: Sozialwissenschaftlicher Studienkreis für Probleme e. V.)	Basel
Studi di Sociologia	Milano
Studi Emigrazione / Études Migrations	Roma
Studia Demograficzne	Warszawa
Teaching Sociology	Beverly Hills, CA
Technological Forecasting and Social Change	New York, N.Y.
Theory and Decision, International Journal for Philosophy and Methodology of Social Sciences	Dordrecht
Theory and Society	Amsterdam
Third World Quarterly	London
Travail et Emploi	Paris
Urban Affairs Annual Reviews	Beverly Hills, CA
Vierteljahreszeitschrift für Sozial- und Wirtschaftsgeschichte	Wiesbaden
Wirtschaft und Statistik	Wiesbaden
Women and Politics	New York, N.Y.
Work and Occupations	Beverly Hills, CA
Zeitschrift für die gesamten Staatswissenschaften	Tübingen
Zeitschrift für Sozialforschung (Journal of Social Research), 1932 – 1941	Leipzig / Paris / New York, N.Y.
Zeitschrift für Soziologie	Stuttgart

Anhang
Verzeichnis gebräuchlicher Abkürzungen

a.a.O.	am angegebenen Ort	Bl.	Blatt
Abb.	Abbildung	bull.	engl., frz. bulletin
Abdr.	Abdruck	c., ca.	circa
Abh.	Abhandlung	coll.	collegit »gesammelt von«
Abs.	Absatz		
Abstr.	Abstract(s)	col(s).	engl. column(s) »Spalte(n)«
Abt.	Abteilung	corr.	correctus »verbessert«
ad inf.	ad infinitum »usw. unendlich«		
ad lib.	ad libitum »beliebig«	d. h.	das heißt
allg.	allgemein	d. i.	das ist
Alph.	Alphabet	Diss.	Dissertation
alph.	alphabetisch	Dok.	Dokument
Anh.	Anhang	dt.	deutsch
Anl.	Anlage	durchges.	durchgesehen
Anm.	Anmerkung	ebd.	ebenda, an derselben Stelle
ann.	annotativ (Anmerkungen von)	ed.	edidit »herausgeben von«
Anon.	Anonymus	Ed.	editor »Herausgeber«, editio »Ausgabe«
App.	Appendix (Anhang)		
Arch.	Archiv	ed. cit.	editio(ne) citata »in der angeführten Ausgabe«
Assoc.	Association		
Aufl.	Auflage	Einf.	Einführung
Ausg.	Ausgabe	Einl.	Einleitung
ausgew.	ausgewählt	Enc., Enz.	Encyclopedia, Enzyklopädie
Bd.(Pl.Bde.)	Band		
Bearb.	Bearbeiter, Bearbeitung	engl.	englisch
		Erg.-H.	Ergänzungsheft
bearb.	bearbeitet, bearbeitet von	Erl.	Erläuterungen oder Erlaß
begr.	begründet	erl.	erläuternd, erläutert
Beih.	Beiheft		
Beil.	Beilage	ersch.	erschienen
Beisp.	Beispiel	erw.	erweitert
bes.	besonders	et. al.	et alii »und andere«; et alibi »und anderswo«
Bez.	Bezeichnung		
Bibl.	Bibliothek		
Bibliogr.	Bibliographie	etc.	et cetera (und so weiter)

Ex.	Exemplar	Komm.	Kommentar, Kommission(sverlag)
ex. rec.	ex recensione »aus der Besprechung«		
f.	folio »Blatt«	Kt.	Karte
f.	für	lat.	lateinisch
f. (Pl. ff.)	(und) die folgende(n) Seite(n)	Lex.	Lexikon
		Lfg.	Lieferung
fac., Faks.	facsimile, Faksimile	Lit.	Literatur
		loc. cit.	loco citato »am angegebenen Ort«
Fig.	Figur		
fortges.	fortgesetzt	l.s.c.	loco supra citato »an der oben zitierten Stelle«
Forts.	Fortsetzung		
frz.	französisch		
Fußn.	Fußnote	MA.	Mittelalter
gedr.	gedruckt	Masch.	Maschinenschrift
Ges.	Gesellschaft	Masch.	Maschinenschrift
ges. W. (GW)	gesammelte Werke	vervielf.	vervielfältigt
ggf.	gegebenenfalls	Mitw.	Mitwirkung
Gr.	Gruppe	m.m.	mutatis mutandis »mit entsprechender Abänderung«, »im ganzen«
gr.	griechisch		
H.	Heft		
Habil.-Schr.	Habilitationsschrift		
		Ms. (Pl. Mss.)	Manuskript(e)
Hb. (Handb.)	Handbuch	n.	engl. note »Anmerkung«
hg.	herausgegeben, herausgegeben von		
		Nachw.	Nachwort
Hg. (Pl. Hgg.)	Herausgeber	n. Ausg.	neue Ausgabe
Hrsg.	Herausgeber	N.B., NB	nota bene »beachte«
Hs. (Pl. Hss.)	Handschrift(en)		
hs.	handschriftlich	n.d.	engl. no date »ohne Jahr«
Hwb.	Handwörterbuch		
ib., ibid.	ibidem »ebenda«	N.F.	Neue Folge
id.	idem »derselbe (Verfasser)«, »dasselbe«	N.N.	nomen nominandum »der zu nennende (unbekannte) Name«
i.e.	id est »das ist«		
ill.	illustriert	No.	Numero
imp(r).	imprimatur »darf gedruckt werden«	N.R.	Neue Reihe
		Nr. (Pl. Nrn.)	Nummer
Inh.	Inhalt	N.S., NS	engl. New Series »Neue Folge«
J.	Journal		
Jb.	Jahrbuch	o. a.	oben angeführt
Jg.	Jahrgang	o. J.	ohne Jahr
Jh., Jahrh.	Jahrhundert	o. O.	ohne Ort
Kap.	Kapitel	op. cit.	opere citato »im

	angeführten Werk«
Orig.	Original
P.	pars »Teil«
p. (Pl. pp.)	pagina »Seite«
p.	partim »zum Teil«
p. a.	per annum »jährlich«
paed.	pädagogisch
passim	»hier und da«, »verbreitet«
period.	periodisch
Pl.	Plural
pref., préf.	engl. preface, frz. préface »Vorwort«
P.S., PS	postscriptum »Nachschrift«
Pseud.	Pseudonym
publ.	engl. published »veröffentlicht«
q.v.	quod vide »siehe dies« (in Nachschlagewerken)
R.	Reihe
r.	recto (folio) »auf der Vorderseite des Blattes«
rec.	recensuit »besprochen von«
Red.	Redaktion
red.	redigiert, redigiert von
Ref.	Referat
Reg.	Register
repr.	engl. reprint »Neudruck«
rev.	revidiert
Rez.	Rezensent, Rezension (Besprechung)
S.	Seite
s.	siehe
s. a.	siehe auch
sc.	scilicet »nämlich«, »ergänze«

Ser.	Serie
Sig.	Signatur
Slg.	Sammlung
s. o.	siehe oben
Sp.	Spalte
Str.	Strophe
s. u.	siehe unten
sup.	supra »oben«
Suppl.	Supplement (-Band)
s. v.	sub voce »unter (dem Stichwort)«
T.	Teil
Tab.	Tabelle
Taf.	Tafel
TOP	Tagesordnungspunkt
tr., trans.	engl. translator, translated, translation »Übersetzer« usw.
trad.	traduit »übersetzt von«
u. a.	und andere(s)
u. ä.	und ähnliche(s)
u. dgl.	und dergleichen
übers.	übersetzt, übersetzt von
umgearb.	umgearbeitet
u. ö.	und öfter
usw.	und so weiter
v	verso »auf der Rückseite«
v.	von, vor
v.	vide »siehe«
verb.	verbessert
Verf., Vf.	Verfasser
Verl.	Verlag
verm.	vermerkt
veröff.	veröffentlicht
Verz.	Verzeichnis
vgl.	vergleiche
viz.	videlicet »nämlich«
v. inf.	vide infra »siehe unten«

v. l.	varia lectio »andere Leseart«	wiss.	wissenschaftlich
vj.	vierteljährlich	Z.	Zeile
vol. (Pl. vols.)	volumen, »Band«	Z., Zs., Ztschr.	Zeitschrift
Vorw.	Vorwort	z. B.	zum Beispiel
vs., v.	vide supra »siehe oben«	Ziff.	Ziffer
		zit. n.	zitiert nach
Wb.	Wörterbuch	zugl.	zugleich

Register

Abbildungen 145 f
Abbildungsverzeichnis 127, 196 ff
Abkürzungen 148 f
Abkürzungsverzeichnis 110, 128 f
Absätze 140
Abstract 57
Ad-hoc-Theorie 24
Adressenverzeichnis 110 f
Akronyme 149 f
Allgemeine Auskunftsmittel 72
Allgemeine Deutsche Biographie 98
Allgemeine Nachschlagewerke 103
Allgemeine Soziologie 34
Alphabetischer Katalog 87, 95
Amerikahäuser 83
Analytische Methode 20
Anhang 123, 131
Anmerkungstechnik 147 f
– Schreibweise von Anmerkungen 148
Anmerkungsziffern 148
Arbeitshypothese 29, 120 f
Arbeitskartei 63
Arbeitsplanung 41 f
Aufhängertechnik 170
Auflage 56
Ausleihbibliothek 86
Ausleihe 92 f
Autor 55
Autorenkartei 64

Behaviorismus 26
Berliner Anweisungen 88
Bibliographien 74 ff, 105, 131 ff
– Bibliographie der Adreßbücher 110
– analytisch 73
– Buchhandelsbibliographie 108
– Deutsche Bibliographie 96
– Fachbibliographie 76, 105
– kritisch 73

– Nationalbibliographie 107
– Personalbibliographie 96, 107
– bibliographische Regeln 87 f
– Rezensionsbibliographie 76 f, 97, 108
– Zeitschriftenbibliographie 76 f
Bibliographiebezogene Zitierweise 154
Bibliographie der Bibliographien 77 f, 97, 109
Bibliographie der Biographien 97, 109
Bibliographienkatalog 90
Bibliotheken 82 ff, 86 ff
– Ausleihbibliothek 86
– Bibliotheken der Bildungseinrichtungen 85
– Deutsche Bibliothek 83
– Deutsche Bücherei Leipzig 84
– Freihandbibliothek 86
– geschlossene Bibliothek 86 f
– Magazinbibliothek 86 f, 92
– Nationalbibliothek 83
– öffentliche Allgemeinbibliothek 83
– Präsenzbibliothek 86
– Spezialbibliotheken 84 f
– Staatsbibliothek Preußischer Kulturbesitz 84
– Universitätsbibliotheken 86
Bindestrich-Soziologien 35 f
Biographien 109
– Allgemeine Deutsche Biographie 98
– Neue Deutsche Biographie 98, 109
Brainstorming 51 ff
Buchhandelsbibliographie 108
Bundestagsdrucksachen 78

CD-ROM 99, 112

Datenbanken 111
- Bibliodata 111
- Foris 111
- numerische Datenbanken 111
- Faktendatenbanken 111
- Literaturdatenbanken 111, 158
- numerische Datenbanken 111
- Popline 111
- Solis 111
- VLB-aktuell 112
- Volltextdatenbanken 111
Deduktion 21 f, 163
Denkreiztechnik 171
Deskriptives Verfahren 23
Deutsche Bibliographie 97, 98, 107
Deutsche Bibliothek 83
Diagonales Lesen 58
Dialektisch-Kritische Theorie 25 f
Dietrich 76, 96, 99, 108
Direkttechnik 171
Dissertation 115, 123
D-N-Erklärung 22
Dokumente 73
Dynamisches Lesen 60

Einleitung 56, 129
EMNID 81
Empirie 17 f
Empirische Methode 23
empirische Regelmäßigkeiten 24
Empirische Sozialforschung 79 ff, 104
- Zentralarchiv für Empirische Sozialforschung 80, 99, 104
empirisches Material 79 f
Ergebnisprotokoll 116 f
Erhebungsmaterial 79 f
Erscheinungsjahr 56
Examensvorbereitung 50
Explanandum 22
Explanans 22
Exzerpt 67 ff

Fachbibliographien 76, 96, 105
Fernleihe 93 f
Foris 111
Formalkatalog 87
Forschung
- Nachweise laufender Forschung 81, 99
Forschungsberichte 104 f
Forschungsfragen 31 ff
Forschungsinstitute 80 f
Forschungsprozeß 28 ff
Freihandbibliothek 86, 93
fremdsprachige Quellen 153
Fünfsatz 174 ff
Funktionen 32 ff
- Wissensfunktion 32
- kritische Funktion 33
- Informationsfunktion 33
- Legitimationsfunktion 33
- instrumentelle Funktion 33 f
Fußnoten 147 f

Gedächtnisprotokoll 117
Gedächtnistraining 167 f
Gegenstandsbereich 28
Geltungsbereich 30
Geschlossene Bibliothek 93
GESIS 80 f
Gewichte 142
Gliederungstechnik 131, 142 ff
- alphanumerisch 143
- Dezimalklassensystem 143
Graue Literatur 71
Grobgliederung 119
Gruppenarbeit 50 ff

Handlungstheorie 27
Hauptentwurf 121 f
Hauptteil 130
Hervorhebung 140 f
Hochschulführer 39
Hochschulschriftenverzeichnis 77, 108
Hosts 112
Hypothese 28 ff
- Arbeitshypothese 28, 120

Idealtypische Methode 22 f
Induktion 21, 163
Induktiver Schluß 29
infas 81
Informationsvermittlungsstelle
112
Informationszentrum So-
zialwissenschaften 80, 99
Infratest 81
inhaltliche Erschließung 66 f
Inhaltsverzeichnis 56, 126 f
Institut für Demoskopie Allens-
bach 81
Institutionen 110
Internationales Soziologen-
lexikon 98, 103

Jahreskatalog Soziologie 96

Kartei 62 ff
– Arbeitskartei 63
– Autorenkartei 64
– Sachkartei 64
– Studienkartei 62 f
Kataloge 87 ff
– alphabetischer Katalog 87
– Bibliographienkatalog 90
– Formalkatalog 87
– Katalog fremder 95
– Körperschaftskatalog 90
– Kreuzkatalog 90
– Länderkatalog 90
– Ortskatalog 90
– Personenkatalog 89, 90
– Regionalkatalog 90
– Sachkatalog 89 f, 98
– sachalphabetischer Katalog
89 f
– Schlagwortkatalog 89 f
– systematischer Katalog 89
– Titelkatalog 90
– Zentralkatalog 93 f
Katalogisieren 62
Körperschaftskatalog 90
Kolloquium 49
Konflikttheorie 27

Kongreßberichte 108
Kreuzkatalog 90
Kritische Theorie 19, 32
Kritischer Rationalismus 25
Kursorisches Lesen 58

Länderkatalog 90
Landtagsdrucksachen 79
Lehrbuchsammlung 93
Lesekontrollen 58
Leselisten 181 ff
Lesesaal 91
Lesetechniken 57
Literaturangabe 67
Literaturauskunftsmittel 73, 90
Literaturauswertung 55, 59, 67
– technische Literaturauswer-
tung 55, 59, 60 ff
Literaturdatenbank 111, 158
Literaturkurzangaben 59, 67
Literaturstudium 119 f
Literatursuche 95 ff
Literaturverzeichnis 56, 131 ff

Magazinbibliothek 86 f, 92
Makrosoziologie 35
Mannheimer Zentrum für
Europäische Sozialforschung
(MZES) 80 f, 99
Manuskriptgestaltung 139
Marplan 81
Maße 142
Materialauswertung 60 ff
Methoden 19 ff
Mikrofilm 92
Mikroformzentrum 92
Mikrosoziologie 35
Mitschrift 44 ff
Mitteilungsblätter 79
Monographien 72
Münzen 142

Nachschlagewerke 100 ff
Nachweise laufender For-
schung 81, 99

Nationalbibliographie 107
Nationalbibliothek 83
Neomarxismus 27
Neopositivismus 25
Neue Deutsche Biographie 97, 104
Neuerwerbsliste 90
Nicht-wissenschaftliches Schrifttum 78 f

Online-Version 111 f
Operationalisierung 23
Originalarbeiten 72
Ortskatalog 90

Paginierung 140
PC 157
Personalbibliographie 96, 107
Personenkatalog 90, 95, 97
Personennachweise 103 f
Personennamen 141
Popline 111
Präliminarien 123
Präsenzbibliothek 86
Preußische Instruktionen 88
Primärliteratur 71
Protokoll 116 ff
 − Ergebnisprotokoll 116 f
 − Gedächtnisprotokoll 117
 − Verlaufsprotokoll 116
 − wörtliches Protokoll 117
Prüfungsarbeit 115, 123
Prüfungsordnung 38

Quasi-Theorie 25
Quellenangabe 147
Quellenstudium 114, 119 f
Quellenverzeichnis 137 f

Referat 160, 164 f, 166 ff, 168 ff
Regionalkatalog 90
Register 56
Registrieren 62
Reinschrift 122
Reliabilität 30
Rezensionen 108

Rezensionsbibliographie
 76 f, 108
Rhetorik 160 ff
Rhetorische Darstellungsmittel
 171 f
Rhetorische Technik 172 ff
Rohentwurf 120 f

Sachalphabetischer Katalog
 89 f
Sachkartei 64
Sachkatalog 89 f, 98
Schlagwortkatalog 89 f
Schlagwortregister 89
Schlüsselfragen an den Text 58 f
Schluß 57, 130
Schreibweise bibliographischer
 Angaben 131, 132 ff, 156
Schreibweise von Anmerkungen 148
Schreibweise wörtlicher Zitate
 151 f
Schriftliche Arbeit 114 ff, 118 ff,
 123 ff
Seitenangabe 152 f
Seitenzählung 131
Sekundärliteratur 72
Seminar 46 ff
Seminararbeit 115, 123
Siglen 149
sinngemäßes Zitieren 153
Sociological Abstracts 97
Solis 111
Sonderkataloge 90
Sozialforschung 79 ff, 104
 − Zentralarchiv für Empirische
 Sozialforschung 80, 99, 104
soziologische Theorie 25 ff
Spezialbibliotheken 84 f
Spezielle Soziologie 34
Sprechstunde 40
Staatsbibliothek Preußischer
 Kulturbesitz 84
Städte- und Ländernamen 142
Statistische Jahrbücher 103

Statistisches Bundesamt 79, 99
Stoffauswertung 61
Stoffsammlung 61, 168
Strukturalismus 27
Strukturell-funktionale Theorie 26
Studieninhalte 40
Studienkartei 62 f
Studienordnung 38
Studierendes Lesen 58 f
Studium Generale 39
Stufen des Vortrags 168 ff
Symbolischer Interaktionismus 26
Synthetische Methode 20
Systematischer Katalog 89
Systemtheorie 26

Tabellen 145 f
Tabellenverzeichnis 127 f
Technische Literaturauswertung 55, 59, 60 ff
Textteil 123
Textverarbeitungsprogramm 157 ff
Theoretische Methode 19
Theorie 17 f
Theorie höherer Komplexität 25
Theorie mittlerer Reichweite 24
Theorieformen 24 ff
These 28
Thesenpapier 115 f
Titelblatt 123 f
Titelkatalog 90
Titelkurzbeschreibung 67
Totok-Weitzel 75, 96, 109
Tutorium 49

Überschriften 139 f
Übung 48 f

Validität 30
Verfahren 19 f
Verhaltens- und Lerntheorie 26

verifizierende Verfahren 23 f
Verlaufsprotokoll 116
Verstehende Methode 22
VLB-aktuell 112
Vollbeleg-/Kurzbeleg-Zitierweise 155 f
Vorbemerkung 124 ff
Vorlesung 43 ff
Vorlesungsverzeichnis 40
Vorspanntechnik 170
Vortrag 160, 166 ff, 168 ff
Vortragsbeginn 170 f
Vorwort 124 ff

Wissenschaft 15
Wörterbücher 100 ff
Wörtliches Protokoll 117

Zahlen 141 f
Zeitplan 42 f
Zeitschriften 189 ff
Zeitschriftenaufsätze 96, 108
Zeitschriftenbibliographie 76 f, 96, 98, 107
Zeitschriftenkataloge 91
– Standortkatalog der deutschen Presse 91
– Standortverzeichnis Ausländischer Zeitungen und Illustrierter (SAZI) 91
– Zeitschriftendatenbank (ZDB) 91
Zeitschriftenlesesaal 91 f
Zeitschriftenverzeichnis 91
Zentralarchiv für Empirische Sozialforschung 80, 95, 99
Zentralkatalog 93 f
Zentrum für Umfragen, Methoden und Analyse (ZUMA) 80, 99
Zitate 151 ff, 163 f
Zitierregeln 150 ff
Zitierweisen 153 ff
Zusammenfassung (schriftliche) 57, 127, 130

Liebe Leserin, lieber Leser,

wir hoffen, daß Sie dieses Buch für Ihre Zwecke mit Gewinn benutzen konnten. Wir würden Sie gerne über unser weiteres Programm informieren und über Neuerscheinungen auf dem laufenden halten. Bitte kreuzen Sie die für Sie interessanten Fachgebiete an und reichen diese Karte an uns zurück.

Ihre Verlagsgemeinschaft

Aula · Limpert · Quelle & Meyer

Bitte informieren Sie mich über Ihr Buchangebot aus folgenden Fachgebieten:

❏ Zoologie 210
  ❏ Ornithologie 211
  ❏ Herpetologie 212
❏ Botanik 220
❏ Limnologie 250
❏ Ökologie/Naturschutz 219
❏ Biologie, allgemein 200
❏ Chemie 140
❏ Physik 120
❏ Mathematik 110
❏ Technik/Elektrotechnik 130
❏ Sport 500
❏ Gerontologie 350

❏ Pädagogik 810
❏ Psychologie 820
❏ Soziologie 830
❏ Germanistik 630
❏ Anglistik 640
❏ Romanistik 620
❏ Linguistik 650
❏ Theologie 700

❏ Besondere Interessen:

_____

_____

- Bitte den Absender auf der Vorderseite nicht vergessen! -

Name..

Anschrift..

....

....

Beruf..

Dienststellung..

....

....

Bitte senden Sie mir kostenlos und unverbindlich das monatlich erscheinende "Bücher-Spektrum" mit Sonderangeboten aus verschiedenen Wissensgebieten aus dem **Humanitas Buchversand**.

Antwort

Verlagsgemeinschaft
c/o **AULA-Verlag GmbH**
Postfach 1366

D-65003 Wiesbaden

Bitte als
Postkarte
frankieren.
Danke